МИХАИЛ ЕФРЕМОВ

Последняя роль

ЕВГЕНИЙ ДОДОЛЕВ

МИХАИЛ ЕФРЕМОВ

ПОСЛЕДНЯЯ РОЛЬ

ОГИЗ

Издательство АСТ

МОСКВА

2021

УДК 792:929(470)
ББК 85.334.3(2)6-8
Д60

Художественное оформление — *Денис Барковский*

Фото на обложке — *Александр Шпаковский*

Додолев, Евгений

Д60   Михаил Ефремов. Последняя роль / Евгений Додолев. — М. : Издательство АСТ, 2021. — 320 + [32 вкл.] с. : ил. — (Персона).

ISBN 978-5-17-134738-3

Диалоги российского журналиста Евгения Додолева с актером Михаилом Ефремовым и ближайшим его окружением: коллегами, родными, друзьями.

Автор отказался от гонорара за книгу.

УДК 792:929(470)
ББК 85.334.3(2)6-8

ISBN 978-5-17-134738-3

*«У нас у всех — одна проблема —
Михал Олегович Ефремов!»*
Юрий Стоянов

ПРЕДИСЛОВИЕ

Все что я мог сказать о Мише Ефремове и моем личном отношении к «общественному резонансу» на эту историю, я уже сказал. Добавить мне нечего ни к своей реакции, тем более, ко всему изложенному в этой книге.

Напомню.

«Меня просто тяготит, поражает, как это все переживается. Мишка — безумно заметный человек.

Есть такое понятие — горе. Ни катастрофа, ни трагедия. Горе. Я совершенно не вижу и не чувствую никакой нормальной этики, культуры переживания горя.

Мишка — гениальный актер. Что такое дар актера? Это же нам дар. Нам Господь подарил. Что мы делаем? Я не понимаю.

Ужасная гибель очень хорошего человека Сергея Захарова. Царствие ему Небесное. Ужасно, что Мишка сделал. Но какой он «убийца»? Мишка — убийца? Он вообще не соображал, что делает.

Что делается с людьми? Эти, которые «рукопожатные», со светлыми лицами. Ходят и отмечаются, как собачки перед столбом. Жалко? Не жалко! Пусть по полной пойдет!

Наши тоже. С нехорошими лицами. Надо тоже отметиться, как собачка у столба: «Все равны перед законом!» Не дай Боже уйдет! Будем наблюдать.

Я прокуратуру понимаю. Она занимается надзором. Что же вы все в прокуратуре? Что же вы за люди? Это не христианская вообще, а языческая вакханалия. Сакральная жертва им нужна. Вот закалим публично, возопим и будет все в порядке. Всем плевать на Мишку, на Захарова плевать. Никого это не касается. Никому они не нужны. Все свои проблемы решают. Это картина массового мародерства.

А если бы Высоцкий такое сделал? Ведь мог бы. Давайте честно. Мог. На своем «Мерседесе». Давайте Высоцкого сотрем? Помолчите. Это не позиция. Это чувства. Шут, клоун — это душа нации. Чистый и добрый человек».

Добавить к той своей реакции, повторю, мне нечего. Я о правосудии. Правосудие должно разделять два типа преступлений: преступную небрежность и преступный умысел. И эти преступления должны караться различно. Есть основания полагать, что Ефремов вообще ничего не соображал, садясь за руль своего джипа. Именно этот вопрос должны были рассматривать следствие и суд, превратившийся в бенефис двух профессиональных упырей, прикинувшихся адвокатами.

Если бы целью являлось правосудие. Вообще идея, что состояние опьянения усугубляет вину не имеет никакого отношения к правосудию. К борьбе с пьянством имеет, к профилактике «пьяных» преступлений, возможно. А к правосудию — нет.

И еще: момент из интервью в этой книге, где Ефремов рассказывает, как отец привез из заграницы видеомагнитофон с кассетами «Братья Блюз», мягкая эротика и порно... «я это дело посмотрел и понял — пиздец коммунизму». Так вот — в чем Миша прав — советскую систему погубило ханжество. И все остальные его проблемы, включая проигрыш в конкуренции экономик, в большой степени следствие того же. И эту книгу стоит читать еще и потому что она — про это.

Про ханжество.

Михаил Леонтьев

ОТ АВТОРА

———◆———

Издательство предложило мне написать книгу про Михаила Ефремова, но я отказался без колебаний. Во-первых, это выглядело бы как циничное хайпожорство в контексте газетных скандалов, связанных с трагедией 8 июня 2020 года, когда джип Михаила Олеговича вылетел на встречную полосу и протаранил автофургон, в результате чего погиб человек. Во-вторых, я слишком пристрастен для биографических записок: Миша мне симпатичен и знаю я его давно, хотя никогда не были мы ни друзьями, ни единомышленниками.

Михаил — вполне уникальная звезда на небосклоне отечественной богемы. Он добрый и не подлый, что само по себе, быть может, и не редкость, однако сохранить такие качества, обладая статусом сертифицированного enfant terrible тусовки, может только настоящий герой. Хотя от звания «героя» Миша во время одной из наших

ТВ-бесед с легкой усмешкой отказался, торжественно заявив: Я = ОТЕЦ-ГЕРОИН. Самоирония + чувство юмора — это тоже дар, коим Ефремов наделен от природы щедро (его жена **Софья Кругликова** в одном из интервью заметила: *«У Миши восхитительное чувство юмора. Мы любим подкалывать друг друга, хотя иногда я могу не догонять его шуток. Он артист, а я эмоциональный, восприимчивый, любящий искусство зритель. Искренне реагируя на его посылы, порой обижаюсь. Видя, что перегнул палку, муж останавливается: "Слышь, я пошутил". А я уже вся исстрадалась»*).

Короче, я не готов был браться за эти записки. Передумал после прямого эфира с **Александром Добровинским**, который на процессе по т.н. «Делу Ефремова» представлял интересы родственников **Сергея Захарова**, жертвы ДТП, что, увы, стало самым шумным эпизодом ефремовской биографии. Знаменитый адвокат пообещал мне четвертый экземпляр книги, которую намерен назвать именно так — «Дело Ефремова». *Кому первые три?* — поинтересовался я. — *Родным жертвы*, — пояснил Александр Андреевич.

Учитывая тот факт, что в ходе слушаний Михаил обращался к прославленному юристу не иначе как «Господин ДоброСвинский», а тот, в свою очередь, не скрывал, что воспринимает обвиняемого как ничтожество, легко вычислить концепт запланированного издания.

А ведь **Андрей Макаревич**, любезно сочинивший предисловие к мемуарам «Машина Времени, история группы», мне как-то в сердцах признался: *«Вот ты сдохнешь, а книга останется!»*, подтвердив тем самым тезис — ледяные алгоритмы цифровой эпохи так и не смогли нивелировать пламенную сакральность бумажных фолиантов. Рукописи по-прежнему не горят (© М. Булгаков) и никаким топорам соцсетей так и не удается вырубить нацарапанное пером.

Короче, мне стало очевидно, что портрет Ефремова в исполнении Добровинского будет в буквальном смысле слова **напечатан** и потом никакие документальные ленты, не говоря уже о байопиках (не сомневаюсь — будут сняты рано или поздно), авторитетностью с трудом экстравагантного юриста сравняться не смогут. И показалось мне это не вполне справедливым.

Поэтому я и решился набросать здесь кое-какие соображения. Нет, я не пытаюсь оправдывать Михаила Олеговича. Всерьез рассуждать об обстоятельствах ДТП и нюансах самого громкого процесса 2020 года — вне моей компетентности. А сочинять нечто из разряда ЖЗЛ — вне здравого смысла. Я просто собрал свои диалоги с Михаилом и добавил публицистические метки. Потому что нынешний образ «мерзавца-алкоголика» запредельно демонизирован недоброжелателями во время баталий в соцсетях. Резонансное ДТП на Садовом неожиданно (для меня во всяком случае) спровоцировало какое-то цунами лютой ненависти к заслуженному артисту Российской Федерации ровно через четверть века после того, как он это звание получил.

Конечно, Михал-Олегыча святым назвать нельзя.

При всей его покладистости и доброте природной Миша включал порой буйный гусарский нрав. Не на ровном месте знаменитый отец отправил его в армию от греха (мы об этом с Михаилом Олеговичем обмолвились в одной из приведенных здесь бесед). При мне (это было на излете 80-х) Ефремов избил безобидного журналиста за то, что тот, по мнению актера, некорректно сравнил тогдашнюю его возлюбленную **Наталью Негоду** (ставшую секс-символом советского кинематографа после премьеры «Маленькой Веры») с голливудской секс-иконой **Мэрилин Монро** (на обложке таблоида красовались фото с выносом «НН и ММ»)

Пил, помню, Михаил яро. И порок этот упрямо не признавал своим. Его старшая сестра **Анастасия Олеговна** мне как-то написала в Фейсбук-дискуссии, что, мол, надо просто БЫТЬ ЗА МИШУ и все. Само собой, всем родным + соратникам иначе нельзя. Но, повторюсь, мне Ефремов не брат и если я с ним и выпивал, то давно, в конце 80-х прошлого столетия. Однако мне, тем не менее, не ясен генезис неприязни. Суровой неприязни в отношении актера, которую трагедия 8 июня выявила в прессе и социальных сетях.

Да, произошло несчастье, но для меня в такого рода бедах всегда существенен момент намерения. Его, намерения выехать на «встречку», — не было. И быть не могло. Приятель дней моих студенческих **Крис Кельми** последние четверть века своей лихой жизни ездил пьяным в говно, но судьба Анатолия хранила — никого, хвала ангелам автотрасс, автор «Ночного рандеву» не убил и не покалечил. А вот Михаила ангелы, видимо, крышевать тем летом заебались и демоны прописали впечатляющий сценарий, где роль профессиональному лицедею была отведена неприглядная. И оваций здесь не соберешь.

Возможно, Михаил Олегович создаст свой «Тюремный театр» и сыграет еще тысячу ролей. Но! Но всегда его будут сравнивать с великим отцом — **Олегом Николаевичем Ефремовым**. И быть может, сын **Никита Михайлович Ефремов** станет не просто выдающимся, но столь же великим. И будут мерять его, опять же, по лекалам легендарного деда. Однако факт остается фактом: на момент написания этой рукописи 83% упоминаний словосочетания «Михаил Ефремов» при запросе в поисковых системах связаны не с артистическими проектами, а с летней катастрофой. Эта роль — «Пьяница-За-Рулем» — и запомнится потомкам, увы. В каких бы проектах Ефремову не довелось принимать участие. И говорить о несправедливости такого реноме бессмысленно.

Поэтому я и взялся за эти заметки. Ведь Михаил Ефремов сыграл и другие роли. Роль сына и роль отца, в конце концов. Роль мужа — несколько раз на бис...

Я не хочу и не умею анализировать детали уголовного дела, не юрист. Я не буду и никогда не намеревался судить о нем как о мастере сцены, не критик. Я не желаю и не стану его оправдывать, не товарищ. Но своим долгом считаю показать Мишу таким, каким его вижу, — во сто крат лучше и добрее, чем многие из тех, кто его безбожно хулит. Да, хулят за дело и дела. Но нет, не так, как может позволить «рассудок и нрав».

БЕСЕДЫ

В этом разделе собраны мои разговоры с Михаилом Олеговичем Ефремовым, проиллюстрированные фрагментами других интервью — как бесед с представителями клана Ефремовых, так и моих блиц-диалогов с неравнодушными людьми из когорты социально значимых.

НЕМНОГО ПРОПАГАНДЫ

Здесь наша последняя беседа, записана летом 2019 года, за год до ДТП на Садовом и за несколько дней до кончины Мишиной мамы, которую мы в разговоре упоминали.

Михаил, вы, артисты, все любите очень поговорить про творческие планы. Но я знаю, что ты являешься исключением: нет творческих планов никогда, только творчество?

— Нет, не один я являюсь исключением. Артисты не любят на самом деле говорить о творческих планах. Потому что все артисты, как и все спортсмены, люди суеверные. Скажешь — накаркаешь.

Не снимут?

— Да, или не снимут, или сорвется что-нибудь, или по срокам не сойдется, или, не дай, Бог, по деньгам.

Еще мы очень все любим такой вопрос: а расскажите какие-нибудь интересные случаи на съемочной площадке?

Так что эти два вопроса, считай, отыграли.

Нет, я могу сказать, я сейчас *(напомню, лето 2019 года. — Е.Д.)* снимаюсь в фильме у **Петра Валерьевича Тодоровского** — продолжателя великих традиций великой семьи Тодоровских — в интересном сериале «Полет».

Год назад *(то есть в 2018 году. — Е.Д.)* мы снимали как бы пилот. Вот сейчас немножко артисты там поменялись, и мы заново все снимаем. Это интересная работа. Там замечательная группа, замечательные партнеры. Но, правда, очень тяжело. Там вот есть режиссер, которого мы называем «Mister But». Потому что после каждого дубля он говорит: «Гениально! Это было замечательно! But... *(по-английски «но». — Е.Д.)*».

По атмосфере на съемочной площадке, конечно, все устают, все раздражаются. Но вроде дело двигается.

Про спортсменов прозвучало. И я сразу вспомнил, что немногие знают, что актер Ефремов — «мясной» человек.

— Ну, как не многие знают? Наоборот, знают все. Спартаковские болельщики знают, «кони» знают, «бомжи»», знают, «паровозы» знают, все знают.

Вот это странно, потому что спорт и Михаил Ефремов — это в сознании массового по-

требителя (зрителя, слушателя), все-таки вещи очень далекие. Мне сложно представить Михаила Ефремова на поле.

— Я не думаю, что это спорт. Я думаю, что это боление, давно я не гонял мячик. Уже года два. Сейчас в основном смотрю телевизор, футбольные матчи.

На меня произвел неизгладимое впечатление Чемпионат мира в России. И с тех пор мы стараемся не пропускать никаких матчей по телевизору. Потому что в пабе хорошие телевизоры и неплохое пиво.

В этом смысле? А как ты, кстати, человек, который, опять же в представлении массового зрителя, достаточно сильно политизирован, воспринимаешь трактовку, что Чемпионат был этаким пропагандистским ходом на самом деле?

— Побольше бы такой пропаганды.

Талантливая пропаганда, она тоже замечательная. Понимаешь, когда раньше пропаганду делали **Маяковский** и **Родченко**, это немножко другое было, чем **Соловьёв** и **Киселёв**.

Из интервью Михаила Ефремова «Новому времени» (2015):

Стране я желаю нового времени. Но не того нового времени, в которое мы и так, к сожалению, пришли, а совсем другого. Сейчас я вижу, что прежде всего поменялась этика. Вот раньше был этический кодекс: чужое брать нехорошо, слабых обижать плохо. А в этом году власти нам показали, что слабых обижать — хорошо и чужое брать — тоже хорошо. Если очень нужно. Мы имеем дело с возникновением новой этики, и совершенно неизвестно, как ее появление отзовется на всей нашей жизни. Хотя, чего там — конечно, известно. Очень плохо отзовется. Думаю, что вслед за этикой изменится эстетика, стиль жизни или, если хотите, ее жанр. Мы уже видим арт-подготовку по телевидению. Многие так называемые аналитики искренне и упорно говорят по «ящику»: война, война, война. Нагнетаются предвоенные настроения, вот что ужасно. А ведь варианты спасения есть. Например, в старое брежневское время был очень популярен такой анекдот: объявить войну Финляндии и сдаться. Так вот: тут тоже можно начать — и сразу сдаться.

Если говорить про телевизионную арт-подготовку, то ведь такой паранойи даже в советское время не было. Волосы дыбом встают, когда ведущий на федеральном канале, руководитель крупнейшего информационного агентства, говорит, что надо бы превратить США в ядерный пепел. Само появление ведущих с такими манерами и с такими склизкими интонациями свидетельствует о том, что у нас теперь новая этика. Раньше такие люди играли **Дуремаров** в театре **Карабаса-Барабаса**.

Я когда смотрю на это на все, то вспоминаю о театре. Думаю: может быть, это все не на самом деле? Может быть, это не в реальности происходит? Настолько это странно, что не верится. Но ведь кровь льется. И более трех тысяч человек уже погибло...

Андрей Васильев меня называет «политическое животное». Я не смотрю телевизор днем, потому что, как правило, занят. А вот вечером я его включаю и смотрю, смотрю, все подряд смотрю.

Иногда это просто круто — посмотреть отвратительные фильмы, полюбоваться на отвратительных людей. Смотрю на всю эту лабуду и думаю: вон сколько уродов, а я хороший. Все дураки, а я умный.

NB *Возможно, это лишнее, но я все-таки артикулирую — Михаил таким инструментом, как самоирония, владеет в совершенстве. Ну так, на всякий случай, для особо одаренных читателей. Ни разу не видевших ТВ-интервью Михал-Олегыча, например, и не рисующих в своем воображении печальную полуулыбку, с коей обычно произносятся им подобные вещи.*

Ну, а насчет политизированности. Это заблуждение или действительно очень глубоко?

— Я не политизирован, я просто слежу за процессами.

Но с определенного холма?

— Да нет. Раньше газетки читал или телевизор смотрел, программы, сейчас, слава Богу, телефон появился, где можно — тын-тын-тын — и почитать, что там происходит.

А многочисленные чада являются единомышленниками в этом смысле?

— Ох! В этом смысле мы с ними не разговаривали, слава Богу.

Я и с друзьями по этому поводу не разговариваю. Только если «Гражданин-поэт» или «Господин хороший», это работа. Тогда мы политизированы. А так — нет.

Про спорт мы говорили. Я знаю, что дети некоторые увлекаются...

— Да, **Борька** играет в футбол. И здесь играет, и в Латвии. Там есть такая команда «Спартак-Юрмала». У них есть детские школы, где играют местные и дачники. Вот он ходит в команду дачников.

NB *Младший сын Борис Михайлович родился в 2010 году, шестой ребенок Михаила и третий, рожденный Софьей Кругликовой, последней (пятой по счету) женой актера.*

А видишь в них себя? Это хулиганы, если коротко? Я про мальчиков.

— Ну, как сказать, хулиган? Когда-то хулиган, когда нет. Я тоже не был все время хулиганом. Просто если хулиганишь, это больше отпечатывается в памяти общества.

АРМИЯ

Нет, ну, был и криминал. Я насколько понимаю, поход в армию был связан с тем, что 88-я статья (статья 88 Уголовного кодекса РСФСР 1960 года, на сленге валютчиков «бабочка», «Нарушение правил о валютных операциях») светила?

— Да нет, ну какая 88-я. Там на самом деле была «хулиганка», но из-за этой хулиганки пришли к Олегу Николаевичу люди из органов, которые **сейчас руководят нашей страной**, и сказали, либо тюрьма, либо армия.

Но доказательств у них не было. Поэтому **они** взяли на понт, как обычно они это и делают.

NB *По версии ресурса Захара Прилепина «Свободная пресса» однажды «Михаил в присутствии окружающих повел себя неподобающим образом. И пожилой ветеран сделал ему замечание. В отместку за это звездный отпрыск жестоко избил ветерана-фронтовика, решив, ви-*

димо, покрасоваться перед друзьями. Дело запахло судом и тюремным сроком. Именно тогда, чтобы Мишу не посадили, Олег Николаевич, по словам Татьяны Бронзовой, и вынужден был срочно отправить молодого оболтуса в армию».

У Ивана Охлобыстина иная трактовка: «Что-то не поделил с замдиректора. Удивительно, Миша самый добрый человек на свете. Как он умудряется влезть в драки, для меня загадка. Я 30 лет его знаю, ни разу не видел агрессивным. Когда все случилось, Миша ушел, сняли и спектакли, я не переживал. У меня есть принцип, что счастлив только благодарный. Я и детей учу, что мгновения, когда ты жив-здоров, у тебя две руки, две ноги, два глаза и два уха, вполне достаточно для счастья. Все остальное уже надуманное, от демонов».

А почему сыновья всех наших кинематографистов, вот если мы берем твою возрастную группу, прошли через армию, и именно в контексте того, что ставился вопрос — либо тюрьма, либо армия?

— Это, понимаешь, тренд, мы когда-то собрались, нам было по 14, и сказали: ну, вот пойдем в армию. Потом будем говорить: либо тюрьма, либо армия. Красиво, во-первых, да. О! Практически лидер протеста.

NB *Михаил с 1982 по 1984 год проходил сроч-
ную службу в войсках военно-воздушных сил после «учебки» в Вышнем Волочке (в школе млад-
ших авиационных специалистов — в/ч 74326).*

Дедовщина была?

— Да, была. Но я же в советской армии служил. Нет, я не могу сказать, что дедовщина в той
части, в которой я прослужил, была все два года.
Это была большая учебная часть. То есть там полгода была такая, ах, какая дедовщина. А потом
меня-то оставили в постоянном составе. И я там
уже валял дурака.

А вообще мне отсюда, из театральной семьи,
попасть в армию? Я помню, я первый раз это
осознал, когда я услышал в 6 утра — «Рота, подъ-
ем». И все это началось.

Письма маме. Будут опубликованы?

— Нет, они не опубликованы. Что ты? Мне
стыдно.

А за многое вообще по жизни стыдно?

— Да, жизнь вообще вся состоит из греха
и стыда.

**Золотые слова. Никто так вот не призна-
ется в этом. Действительно, мы же соверша-
ем ошибки постоянно какие-то.**

— Да не то что ошибки. Я не назову это ошиб-
кой. Какое-то стечение обстоятельств, может
быть. Не знаю. Но это жизнь. Я не делил ее на

хорошее и плохое. Потому что, как говорили отцы афонские: «Обалдеете, кого в раю встретите».

Но просто существует такое общее место, «вот если бы суждено было прожить еще раз, я бы не изменил бы ни дня».

— Я пока да, я думаю, да.

И в армию пошел бы, Михаил?

— С моим теперешним опытом, послеармейским? Да.

Я даже когда служил, помню, иду куда-то я, ну, к ребятам, и такое лето, хорошая погода, у меня хорошее настроение. Я думаю: «А на хрена мне отсюда? Вот я вообще здесь ничего не делаю. В принципе, живу на всем готовом, да еще командую кем-то, чем-то. На хрена мне домой?». Была такая мысль в армии.

Но первые полгода, ух!

Из интервью Михаила Ефремова «Новому времени» (2015):

Знаете, что мой отец, Олег Николаевич, ответил, когда во время выборов президента России его спросили, смог ли бы он возглавить страну? Он сказал: «А чего там мочь-то? Напряг всех — вот и все».

У нынешнего президента — получилось. Причем с самого начала стало получаться... Вот вы знаете, я Питер очень люблю, но при этом отмечаю, что у петербуржцев особое сознание: они по прямой не ходят, они идут до конца квартала, потом направо, до конца другого квартала и налево. То есть легких путей они не ищут. И есть такая логика петербургская: давайте сделаем, а потом посмотрим. Петербург же красивый? Красивый. А сколько под ним лежит трупов? Да хрен с ними. Красивый же. То есть сначала давайте город построим, а потом уже посчитаем, сколько людей ради этого положили. Главное — результат, цель. Мне кажется, сейчас в нашем обществе эта питерская логика возобладала. И вполне возможно, что сегодняшняя реакция большинства наших граждан на санкции — тоже из этой «питерской» оперы. Начинаются трудности, начинаются большие проблемы и тяготы — значит, мы начали путь к великой цели. Помните, как пели в фильме «Айболит-66»: «Это очень хорошо, что пока нам плохо».

Всю мою жизнь Крым был украинский. Я туда очень часто ездил, и всегда так романтично было — «Перукарня» на вывеске прочитать, еще какие-то слова… А в 7-м классе я даже экзамены в Ялте сдавал, потому что в кино там снимался. Напротив Ялтинской киностудии стояла седьмая школа, где у меня принимали экзамен по украинскому языку. Но какой это был экзамен? Меня спросили: «Робишь?» «Роблю», — отвечаю. «Ну, иди». Тройку или четверку по украинскому языку мне поставили и отпустили.

Это не эйфория, это реванш. Реванш советского сознания. А советское сознание, оно при всей своей внутренней этичности, при кодексе строителя коммунизма, который списан с Евангелия, оно все равно построено на том, что целый строй пребывает во враждебности к остальному миру. И вот это из нашего сознания никуда не исчезло. Мне кажется, что присоединение Крыма воспринимается как восстановление сакральной справедливости. А народ очень любит всю эту муть типа марксизма-ленинизма, типа сакральной справедливости. Любит всякую такую эзотерику. Потому у нас щука говорит и печка ездит. Вот у нас же XXI век, интернет, новые технологии… И вдруг выступает Проханов по федеральному каналу. Понимаете, к нему относятся серьезно, если выпускают говорить на всю страну. И он объявляет: «Нашей стране нужна мобилизационная экономика». То есть он хочет, чтобы 140 миллионов человек вдруг стали жить как в армии! Да с какой стати-то? У нас что, конец света, что ли? Что случилось? Не понимаю. Я не верю ни в агрессию Запада, ни в мировые заговоры. И никогда не верил.

И это, конечно, парадоксальная, почти фантастическая ситуация: вдруг русские и украинцы начали друг друга называть фашистами. Страна, которая потеряла огромное количество людей на той войне, вдруг разделилась на два лагеря, и все друг друга фашистами называют. Ну вот что это? Поведение нашей страны очень похоже на поведение подростка, которому кажется, что он все знает лучше всех. И вот он открыл окна, поставил динамики и врубил свой музон на полную громкость. Пусть все знают, как я могу, пусть все слушают то, что я велю. И для такого подростка главное — сила. Потому очень логично, что мы вооружаемся и вооружаемся. И, кстати, экономика, ориентированная на увеличение военных расходов, на модернизацию армии, она прекрасно заработает, и мы будем выпускать танки, снаряды, пушки, ракеты и самолеты. Советская экономика была заточена на военные цели, и теперь все это возвращается. Мы снова будем продавать оружие всех видов. Конечно, против нас ввели санкции самые модные и стильные ребята во дворе. Но во дворе еще есть до фига народу, которому можно продать оружие. Да, нам не дадут больше играть в подъезде на гитаре, но ничего, мы у дедушки полпенсии отнимем и купим себе гитару. А дедушке расскажем, что его пенсия на поддержание великой цели ушла... И все-таки я уверен, что эта история с Украиной как-нибудь потонет в нашем болоте. Напряжемся **лет на пять**, а потом устанем, махнем рукой и пойдем по домам, потому что — ну хватит уже.

NB *Это интервью The New Times опубликовал в 2018 году, но записано-то оно было в конце*

2014 года. Прошло пять лет. И еще год. Год номер 2020, тот, про который в соцсетях шутили: «Что попросишь у Деда Мороза на Новый год?» — «Пощады!».

ПУТИН И ОХЛОБЫСТИН

Ты намекнул, что чекисты руководят страной.

— Как намекнул? Это факт.

Что — президент Путин у нас возглавлял ФСБ?

— Почему президент **Путин**? Там очень много. Это как с русскими: копнешь, а там татарин. Копни какого-нибудь начальника, там кагэбэшник 100-пудово.

NB *То, что Миша человек добрый + совестливый, я повторяю с момента трагедии, не оправдываю пьянства за рулем, однако готов подставиться еще раз – **Ефремов** человек незлобливый, я ему верил и верю. А насчет игр в оппозицию, в июне, на старте судебного разбирательства, актер заявил: «Где я и где политика? Я не имею отношения к оппозиции, не имею отношения к политике. Ничего не имею против личности **Путина**. Почему я должен плохо от-*

*носиться к человеку, который нас кормит —
нас, людей искусства, деятелей кино. Ведь все
мы помним, в каком упадке была культура раньше».* Про странную историю с портретом Путина у него дома — ниже, в беседе с Эльманом
Пашаевым.

***А насчет русских. В каком возрасте Миша
Ефремов узнал, что он не русский?***

— Я никогда себя и особо русским-то не считал. Я всегда считал себя человеком. Я узнал, что
я чуваш, когда мне не было еще 11-ти.

Да, да, и мордва еще.

— Нет, ну, мордва — это по отцовской линии
мордва. А по маминой — чуваш я. И более того,
я прямой потомок **Ивана Яковлева**. А это человек, который перевел Библию на чувашский
язык. Который был заместитель отца **Ленина**. Ну,
это такая наша семейная гордость.

***Ну, а какие вы, чуваши? Чем вы от нечува-
шей отличаетесь? Что у вас есть такого?***

— Ну, во-первых, мы крещеные.

Во-вторых, мы большещекие.

В-третьих, мы добрые.

Ну, в общем, мы лучшие.

***Про «крещеные», — я вспомнил одно интер-
вью, в Киеве ты давал. И, рассказывая о своем
друге Иване Охлобыстине, как мне показалось,***

с долей сарказма и с иронией сказал про его поход в батюшки. Ну, как-то неодобрительно.

— Да не неодобрительно сказал. Я, наверное, сказал, что Ваня мне написал пьесу. И сказал, вот у него был 21 год духовных исканий, и он пьесу одну написал. Потом 21 год духовных исканий, и вторую написал.

NB *По версии энциклопедии «Лурк» «в православной сфере Охлобыстин — очень редкое явление: все заповеди, что должен соблюдать простой священник, Отец Иоанн открыто нарушал и опровергал. Что служит тому причиной? толстый, неприкрытый троллинг РПЦ и православных устоев вообще или просто ФГМ? Поди разберись».*

Ты знаешь Охлобыстина так, как не знает его никто. Во всяком случае, никто из журналистов.

— Он кум мой. Мы родственники практически.

Это все был пиар? Или это были искренние движения души?

— Я не то что полагаю, я знаю, что это искренние движения души.

Вам не мешает в общении с ним тот факт, что он по позиционированию является тем, кого вы, «светлоликие», называете «ватником»?

— Ну, мне не мешает. Ну, Ваня же художественный ватник.

Тогда попытаемся определить, что такое художественный или нехудожественный ватник?

— Ну, вот этот самый МХАТ имени Горького, там они ватники нехудожественные, несмотря на то, что имени Горького. А Ваня — художественный. Это я так считаю. Это мое мнение.

Ты считаешь, что, когда человек твоего ремесла беседует с журналистами, то есть дает интервью, он работает?

— Я честно скажу, я не думал, о чем я буду говорить. Ну, в принципе, можно было подумать, чего-нибудь сказать смешное или такое яркое. И потом все: ха-ха-ха. Но обычно смешные, яркие, талантливые вещи никогда не получаются, когда ты думаешь, вот надо бы сделать так.

Это экспромт должен быть?

— Это не экспромт. Это прямой ход. Это, как ты говоришь, от чистого сердца.

Просто очень многие видные актеры, скажем так, с достатком гораздо выше среднего, из принципа не дают интервью бесплатно. И тезис у них такой: давать интервью — это моя работа, почему я должен делать это без денег?

— Вообще это **Мадонна** первая начала — фотку за 50 долларов. Это капитализм. Это все понятно. Это нас пока тут, лопухов, дурят. Вот такие, как вы. Мы бесплатно интервью даем.

Более того, сейчас говорить о бесправности актера, в государственных, тем более, театрах, это такая вот задача...

Не хочу я об этом говорить. Потому что это и так понятно. Это нищета и бесправие.

Как с этим бороться?

Не знаю.

Ну, всегда ведь так было?

— Нет, не всегда.

Когда есть художественная наполненность, творческая наполненность, то нет бесправия, и о деньгах меньше думаешь. А когда как-то такая рутина, вот ты начинаешь все время: чего же тут не так-то, чего же?

Я же в артисты пошел. Я же хотел летать. Чего же вы мне крылья-то режете с самого первого года?

Очень часто, сравнивая нынешний период, постсоветский и советский, как раз говорят о том, что фактор денег стал очень значимым. Но мне кажется, что и в советские времена тоже, в общем, думали об этом.

— В советские времена думали не о деньгах, а о привилегиях. Потому что когда произошло это, на мой взгляд, счастливейшее событие моей жизни.

1991-й год?

— Да даже раньше, году в 1987-м уже было понятно. Самое счастливое мгновение моей жизни, конец коммунистической фигни и Советского Союза.

Тогда понятно, что была эйфория. Но во всей этой трансформации стояли люди; где угодно, такими колоннами стояли и продавали будильники, чайники и стаканы, я не знаю, кофточки.

Вот вся эта пертурбация, она научила русских людей (ну, или российских людей) думать о деньгах. До этого советские люди о деньгах не думали. ***Ну, некоторые, наверное, думали.***

— Ну, всегда есть люди, которые о них думают. Всегда есть умные люди, но их мало. А тут вся страна достаточно резко поумнела. И стала как бы думать. И мы еще до сих пор не отошли. Это будем еще отходить лет 20 точно.

А надо отходить?

— От той халявы, которая была? Конечно, надо.

NB *В контексте заявления **Михаила Ефремова** о своей лояльности власти и признания, что все антипутинские экзерсисы это просто работа, игра, etc., в соцсетях стали размышлять и о мотивации его партнеров по этой самой работе. А я задолго до скандала с ефремовским ДТП напомнил у себя в аккаунте, как **Дима Быков** для нашего совместного проекта МОСКОВСКАЯ КОМСОМОЛКА (что была создана **Березовским** для борьбы против **Лужкова**, чтобы помочь **Путину** тогда, 20 лет назад) писал:*

*«Лояльность в России — дело опасное: стоит **Пушкину** или **Пастернаку** захотеть, "в отличье от хлыща в его существованье кратком, труда со всеми сообща и заодно с правопорядком", — как тут же торжествует правота хлыщей, потому что очередной символ русской государственности оказывается сатрапом и душителем... Поэтому, чтобы быть всегда правым, как **Явлинский**, — надо заранее поджимать губы и говорить о том, что опять ничего не выйдет. Что главная задача прессы — долбать власть. Что обязанность интеллигента — быть в оппозиции. И прочий протухший набор».*

Мне другой экс-коллега **Александр Перов** этот пассаж откомментил:

Удивительное дело: пишут и говорят так, как будто мечтают, чтобы слово их осталось жить в веках. Потом переобуваются в прыжке — и приземлившись, даже не задумываются о том, что слово-то так и осталось жить в веках. И его можно загуглить... С одной стороны, мне нравится современная жизнь, потому что врать о своем прошлом сделалось бесполезно. Все зафиксировано. С другой — мне грустно. Ибо публика, которая полагает себя (да хер с ним, не важно, кем), плевать хотела из своей ямы на весь белый свет и в том числе на собственные изречения 10–20-летней давности.

Вера Михайлова (НТВ ПЛЮС) заметила:

В этом вся проблема нашей творческой интеллигенции. Надо быть гением, чтобы избежать этой ловушки. Со времен Пушкина. Вернее, интерпретации его биографии в советский период. С одной стороны, он имел «приличную биографию» — был против власти (царской, чем мил был Советам), с другой стороны — «наше все» — то есть послужил Отечеству и нации. Вот в этих трех соснах и блуждает наша интеллигенция. А как-то отделить всегда временную власть от отечества — не получается. В результате — дым отечества им не сладок, мелкота.... и потеря таланта. Если учесть, что по формальному признаку у нас капитализм и либеральная экономика, то совсем бедные потерялись))) А мантра «государство должно»? Опять в социализм, что ли? В общем, извечное — я буду на тебя гадить (прости, Господи), а ты меня ласкай! Самая неблагодарная публика. Дэлом надо заниматься! Да, и все хотят много денег. Аскеза — творческий путь редких личностей....

Світлана Мізюн из соседней страны подвела итог:

Приезжайте на Украину. И думаю, через месяц у Вас, как у Пушкина, появятся слова: «Я помню чудные мгновенья». Будет возмож-

ность сравнить и понять, что такое лояльность...

НАТАЛЬЯ НЕГОДА, «ПО СЕНЬКЕ И ШАПКА» ©

Ни сама Негода, ни Ефремов не любят вспоминать об этом романе. Тем не менее из песни слова не выкинешь.

Я познакомился с пассией Михаила, когда она уже второй раз (и уже окончательно) перешла в категорию «бывших».

Тогда в отведенный 27-летнему биологу **Константин-Львовичу Эрнсту** номер на втором этаже крымского чудо-пансионата вселилось полдюжины непростых гостей! **Андрей Макаревич, Саша Любимов, Наташа Негода + Сергей Толстиков**, естественно, сам инициатор крымского вояжа Костя и я.

Правда, тогдашний секс-символ державы Негода, приехавшая в Никитский вместе со своим ухажером Толстиковым, через пару дней нашла какую-то частную квартирку на горе, между Нижним и Приморским парками. И влюбленная парочка оперативно освободила шикарный балкон, на котором располагалась койка их медового месяца. Условно говоря, медового, поскольку Сергей, как жаловалась нам по пьяной лавочке Наталья, был хронически женат. Впрочем, лет 10 или более после той поездки они прожили душа в душу; не знаю уж, насколько юридически при этом легализовав свои взаимоотношения.

Актриса только что прошла через очередные разборки с непросыхающим балагуром Мишей Ефремовым, с которым бурно и нервно романилась с 1985 года, после его возвращения из армии. Она, кстати, училась в мастерской Ефремова-старшего (Школа-студия МХАТ), что не могло не обсуждаться в богемной среде.

Тогда в кинобомонде еще не было моды на мезальянсы: актрисы, быть может, и влюблялись в дедушек-кумиров, но как-то не доходило до огласки или, тем паче, до ЗАГСа. Михаил, замечу, всего то на 2 дня старше Натальи (Толстиков на 6 лет). Негоде в то ялтинское лето было ровно столько же, сколько **Юлии Высоцкой** на день свадьбы с разменявшим седьмой десяток **Андреем Кончаловским**.

Позволю себе процитировать канал «Кумиры наших и прошедших лет»:

«Михаил Ефремов чего только не предпринимал, чтобы добиться расположения красавицы, а однажды, получив очередной отказ, просто напился до беспамятства. Однако вскоре Наталья смягчилась и обратила внимание на Ефремова-младшего. У них начался бурный роман. Отношения эти продолжались примерно три года. Но, как ни странно это звучит, в ЗАГС Ефремов-младший во время отно-

*шений с Негодой, отправился с совершенно другой девушкой. Его женой стала однокурсница **Елена Гольянова**. По словам самой Елены, этот брак был фиктивным, и Негода прекрасно об этом знала. Елене Гольяновой, приехавшей в столицу из Нижнего Новгорода, просто позарез была нужна московская прописка, и Ефремов ей помог ее получить. Через два месяца они просто развелись. Негода смеялась, что этот брак с Гольяновой — репетиция их семейной жизни с Ефремовым. Однако, когда тот сделал Наталье предложение, получил отказ».*

После драматического развала тандема Ефремов/Негода им сочувствовали: по Сеньке была шапка, как говорится, — оба казались сторонним наблюдателям трогательно непутевыми затейниками. Сочувствовали, пока Н.Н. не вытащила — с подачи народной артистки СССР **Татьяны Лиозновой** — лотерейный билет «Маленькой Веры» и триумфально не прогремела на весь мир. Режиссер **Василий Пикуль**, между прочим, всего на пару лет старше актрисы и взял Наташу потому, что **Ирина Апексимова** неожиданно от роли Веры отказалась, а Негода очень кстати явилась в тот день на студию Горького за дебютным гонораром и попалась на глаза кому надо.

Ефремов, справедливости ради замечу, стал всесоюзной полузвездой еще до срочной службы, в 14 лет сыграв роль бравого мальчика **Пети Копейкина** в ленте «Когда я стану великаном».

Так что союз у них был сплетнеобразующий. Роман угарный. И, существуй тогда светская хроника как жанр, они обеспечили бы хлебом насущным легион папарацци. Перед съемками «Маленькой Веры» пара скандально разошлась, а во время работы до Ефремова долетали из Мариуполя слухи об интрижке его бывшей пассии с партнером по фильму красавцем **Андреем Соколовым**. Хотя, думаю, разговоры были постулированы сюжетом ленты и скандальной постельной сценой, ставшей в истории советского кино революционной. Свечку никто не держал, сама же Наталья игриво отшучивалась.

Вот. Короче, мы Негоду не грузили расспросами, кто, кого, как и почему.

Сергей Толстиков совершенно неожиданно в киноиндустрию «вернулся» позже, типа подвинув **Никиту Михалкова** на посту исполнительного директора Федерального фонда социально-экономической поддержки отечественной кинематографии. До этого он без шума лишнего рулил в «Альфа-банке» и «Трансмашхолдинге».

Негода, помнится, говорила, что ее ухажер — сын видного ленинградского партийца **Василия Толстикова**, который был хозяином города до **Григория Романова**, а затем послом СССР в Нидерландах. Мы как-то во время пьянки в ПРОКе наехали на Сергея с допросом, но он энергично свое родство отрицал, говорил, что родом из Костромы. Ну да ладно, проехали.

Толстиков был таким, ну, совсем небогемным перцем, вполне, по-моему, похожим на бодрого комсомольского функционера из циничной обоймы которых, собственно, и формировались все наши олигархи. Однако он заслужил определенный респект в тусовке и как бы даже прославился тем, что во время Московского кинофестиваля совершенно конкретно дал в репу журналисту, разместившему в каком-то листке фото его спутницы с инициалами Н.Н. по соседству с изображением М.М. (**Мэрилин Монро**). Так и было написано, как помню: Н.Н. и М.М. черным по белому. Не знаю, право, что в самой этой публикации было оскорбительным для Негоды.

Не знаю, но догадываюсь. Никаких «ынтернетов» тогда, само собой, не было. Жили мы в Советском Союзе и все информационные потоки генерировали сами, а не ловили их. Это я к тому, что Наташа полуподпольно снялась для облоги культового заокеанского журнала Playboy, получила какую-то немыслимую по советским меркам сумму, дала в Штатах полсотни интервью. И не очень рассчитывала, что обо всем этом узнают на родине.

Журнал вышел в мае 1989-го; майки со слоганом «From Russia — with love» были в том году хитом т.н. сопутствующих продаж издания в Штатах. Негода отымела свои 15 минут славы в глобальном масштабе. Это реально была Девушка Года. Гиперкомпенсация для тихой экс-студентки Школы-студии МХАТ, которая в эротическом смысле была, пожалуй, наименее востребованной на своем курсе. Да и работа в Театре юного зрителя, где она специализировалась на ролях совсем не плейбоевских зайчиков, никаких перспектив радужных ей не рисовала.

Она всех сделала. Всех. Даже тех киношников-ханжей, которые с возгласами «Позор!» покинули Дом кино во время памятной премьеры культовой ленты. Ее на самом деле зауважали. Полюбили. Восхищением захлебнулись. Конкретно. Хотя, впрочем, употребить по прямому назначению никто из старых приятелей не стремился все равно.

Надо понимать всесоюзный размах и триумфальный характер ее тогдашней популярности. Даже не знаю, как это прикинуть в нынешней системе координат. Это — при традиционном для СССР дефиците информации о западных звездах — как сегодняшняя **Анастасия Заворотнюк**, возведенная в квадрат бюста **Анны Семенович**. А сейчас про **Жигунова** шутят, что он, мол, не бывший гардемарин, а «бывший Заворотнюк».

«Советским экраном» Негода официально признана была лучшей актрисой 1988 года. Скандальная «Маленькая Вера» только-только получила Большой специальный приз жюри Международного кинофестиваля в Монреале и премию ФИПРЕССИ в Венеции. Сама актриса собирала жатву призов: Гран-при в Чикаго, титул лучшей актрисы в Женеве, «Ника-1988» и т.п.

Биохимик Костя Эрнст утверждал, что Негода = очень способная актриса и что скандальная слава не даст ей взлететь. Прав оказался.

Кинообразование, вернее, диплом ВГИКа у Константина есть благодаря дружбе с проректором (в 90-е годы) **Аллой Николаевной Золотухиной**. Зачислен он был в мастерскую **Наумова**. Это была та самая мастерская, где учился племянник **Параджанова, Хачатуров Георгий**, в дальнейшем уже и по паспорту Параджанов. Была в мастерской и внучка **Алова Елена Николаева**.

Как рассказала мне в приватной беседе одна из сокурсниц: «*Мастер в институте не появлялся, а кинознания Эрнста во ВГИКе свелись к общению с Золотухиной. Людей из ВГИКа он брал только по ее рекомендации*».

Ну а Негода… Она так и осталась Маленькой Верой. И в Голливуде у нее карьера не покатила. Все ставки были сделаны неправильно. То, что Толстиков был экономистом по образованию, его возлюбленной, подозреваю, не помогло.

Она на самом деле фантастическая актриса. Помню, как-то крымским вечером пробросил, листая номер журнала с ее ню-фотками; дескать, умеют же там ребята с натурой работать, свет грамотно выставлять и фотошопить людей до неузнаваемости. Без всякой подколки: сказал, отхлебнув глоток приторного местного напитка, то, что думал. Поняв, что ее здесь совсем не рассматривают как волшебную глянцевую секс-бомбу, Наташа, меланхолично затушив сигарету, процедила: «Свет, блин… Свет правильный, это, чтоб ты знал, когда изнутри. Смотри!».

И тут же исполнила какое-то немыслимое па на стуле. Это было феерическое нечто. Было непонятное. В один искристый миг обернулась совсем Другой. Выше стала как будто, сексуальнее, ярче. И при этом воздушной стала. Стала богиней.

Она действительно великая лицедейка, потому что может в мгновение ока тотально преображаться. Образ творить. Без всякого грима, без репетиций, сценария и режиссера. Просто Наташа включала что-то в себе, и метаморфоза случалась невероятная, почти анимационная.

А еще Негода была единственным в кинобомонде человеком с золотой карточкой American Express. Она водила нас в интуристовскую «Ялту», где за валюту можно было надегустироваться импортного пива, которое отличалось от «Жигулевского» так же, как студентка-тихоня мхатовской студии от дерзкой sex-богини с обложки майского Playboy, в обрезанной маечке с надписью «Мы за мир», проходившей по линии сосков, и двумя часами на левом запястье, зато без трусиков.

Наталья по-купечески транжирила, просаживая гонорар от «голых» заокеанских съемок, с легкостью венского вальса. Не то чтобы денег было очень много; просто казалось, что это лишь начало и дальше всего будет больше. Долларов, обложек, премий, ролей, восторгов. Коротким был шаг от стандартной оплаты за роль комсомолки Зины в фильме «Завтра была война» до $$$-вознаграждения за съемку в самом популярном на тот момент журнале мира (за попытку провести экземпляр которого в страну можно было совсем недавно вылететь из партии, лишиться работы и погубить жизнь-карьеру).

Карточку у нее украли какие-то ялтинские мальчишки. Что не очень Наталью огорчило. И не очень обрадовало, когда заветный кусочек пластика ей вернули на следующий же день. То ли пацаны не знали, как воспользоваться диковинным платежным инструментом, то ли им объяснили, у кого AmEx похищен.

В известном смысле Наталье Игоревне повезло, что не было в СССР т.н. светской хроники, что издавна является не очень изящным выражением естественного интереса рядовых членов социума к своим маститым лидерам.

Подразумевается, что человек, упоминаемый в светской хронике, известен большинству читателей/зрителей. И лишь поэтому интересно ознакомиться с интригующими обстоятельствами его личной жизни. Ибо единственное (ну, почти единственное), что может роднить прославленную кинозвезду со скромной дояркой из далекого колхоза «Победный лапоть», это, например, тот факт, что обеих лупят мужья. Адюльтеры, семейные драмы, громкие ссоры и нежные примирения. Это то, что встречается в жизни каждого. И ведь именно это дает благостную радость отождествления. Дает возможность посочувствовать звезде. Или позлорадствовать. То есть получить удовольствие не только от размеренного потребления «культуры», но и от легкой, как смог, возможности оценивать знаменитого представителя некой элиты.

Человек, выставляющий себя (и плоды своей деятельности) на всеобщее обозрение (будь то спортсмен, актер, журналист или политический деятель), теряет, конечно же, всякое право на Тайну Своей Биографии. Как только приобретает славу, известность, популярность и тем самым становится интересен.

Всякие возражения против самого жанра светской хроники нелепы по сути своей.

Если именитый актер не желает, чтобы жалкие щелкоперы пописывали о его любовных похождениях, он может чрезвычайно просто решить эту проблему. Либо завязать с амурными похождениями. Либо... Встать к станку завода «Красный тракторист». О нем забудут через год-два. Ведь широким массам не интересны амурные интриги какого-нибудь слесаря Феофанова и он не рискует попасть даже на страницы заводской многотиражки (в качестве удалого дон-жуана, во всяком случае... разве что как передовик или, наоборот, прогульщик).

Хотеть быть на виду, но лишь своей парадной стороной (т.е. громкими творческими успехами) или добрыми делами (благотворительность, туда-сюда), невозможно! По той простой, словно Колумбово яйцо, причине, что личность (тем более узнаваемо-популярная) интересна именно как явление природное, в (неприглядном порой) комплексе со своими бытовыми, повседневными проявлениями.

Поэтому и по сей день интересуются, кстати, неоднозначной личностью **В.А. Моцарта**. Что вызывает, кстати же, весьма противоречивые (зачастую раздраженные) отклики и нервные, словно минное поле, споры на ускользающую тему: не опускает ли, мол, его гений тот, допустим, факт, что он был более чем примитивным (в быту) человеком, ужасающе далеким от грациозных интеллектуальных высот. Да, Моцарт не блистал «культуркой», хотя и наделен был уникальным даром свыше.

Талант не спасает его обладателя от липкой пошлости, досадной тупости и прочих недостатков. А «парадный» образ Личности, как правило, пугающе схематичен. И, что еще хуже, неинтересен.

Словом, про звезду любопытно знать все мелочи, чтобы иметь уютную возможность по-домашнему сравнить ее, звезду-то, с собой, соседом по лестничной клетке... И, возможно, вздохнуть с аппетитным облегчением: у тебя самого жизнь складывается вовсе неплохо.

Против светской хроники как жанра в основном выступают пострадавшие знаменитости или совинтеллигенты в первом поколении. Последние запальчиво утверждают, что их-де, Грязь не интересует. Забывая о том, что именно из грязи (т.е. повседневных межличностных коммуникативных удач и неудач, аффективных контактов одной особи с другими) и состоит эмоциональная основа бытия.

Скромный человек, которому неприятно внимание чужих, никогда не станет ни актером, ни телерепортером, ни общественным деятелем. Он будет тихо жить своей размеренной жизнью.

Само честолюбивое желание удивить мир, покорить его уже подставляет под критику! Ведь существование критики как таковой тоже не вполне правомерно. Почему спортивный комментатор, не умеющий ставить рекорды, словоохотливо судит о качестве выступлений звезд большого спорта? Казалось бы, не умеешь играть сам, не суди других. «Не судите, да не судимы будете».

Однако критика (как жанр) процветает.

И светская хроника дружно появляется в ведущих изданиях. Зачастую с рекордным (кстати!) числом ошибок.

Единственное требование, которое, по-моему, должно предъявляться к «бульвару», — это фотографическая точность фактов. Стилистика же может быть самой разной. Так, фотография может сделать человека сногсшибательным красавцем, а может — мерзким уродом. Важно, чтобы одного не сняли вместо другого. Напомню скандал в западной прессе, когда после ГКЧП-заварухи, ряд французских журналов опубликовал портреты писателя **Бакланова**, спутав его с шефом отечественного ВПК.

А попавшим в придирчивый объектив светской хроники можно посоветовать лишь еще раз перечитать концовку «Ревизора». **Гоголь** очень хороший писатель. Для тех, кто забыл, напомню: чтение вслух письма **Хлестакова** позабавило всех и всем досадило.

Все хихикают и радостно обрывают телефоны, «обсуждая, насколько прекрасен наш круг», пока дело не дошло до них, и ярятся, лишь только всплывает какой-нибудь хмельной визит в казино, не ведая, что кое-какие социально значимые мужчины уже высказались по этому поводу. По мнению **Ларошфуко**, «истино порядочный человек никогда не чувствует себя уязвленным». А на вопрос «Какова печать достигнутой свободы», **Ницше** отвечает: «Не стыдиться больше самого себя».

Надеюсь, мысль номер один понятна будет всем знаменитостям. Нельзя и рыбку съесть и на шарабане покататься.

ФОРС-МАЖОР

В этой нашей беседе мы прошлись по темам, без коих не обходится ни одно пространное интервью Михал-Олегыча.

Ты ведь был всегда этаким мажором.

— Я был форс-мажором. Ну, как? У меня прапрадедушка перевел Библию на чувашский. Дедушка — главный режиссер Большого театра. Папа — понятно.

NB *Иван Яковлевич Яковлев, просветитель, православный миссионер, педагог, организатор народных школ, создатель современного чувашского алфавита и учебников чувашского и русского языков для чувашей, писатель, переводчик, фольклорист. В университете Яковлев знакомится с ученым-ориенталистом профессором Н.И. Ильминским, консультируется у него по «инородческому» (национальному) вопросу. При* *содействии Ильминского к концу 1871 года Иван Яковлев составляет на основе русской графики первый вариант нового чувашского алфавита, поскольку старый, созданный на основе древне-булгарского (тюркского) языка в начале текуще-го тысячелетия, был основательно забыт. В дальнейшем яковлевский алфавит совершен-ствуется. В 1872 году на нем был издан букварь. Первые два выпуска букваря Яковлев, сам испы-тывая материальные затруднения, издал на собственные средства. Тогдашними консервато-рами букварь был встречен в штыки: «Пылкость молодой натуры, с которой он принялся за дело, была причиной того, что он встал на непра-вильный путь в инородческом деле. Г-н Яковлев в деле образования чуваш задался мыслью чу-вашский язык сделать книжным...»*

Нет, ну, я помню: в школе учились с внуч-кой Промыслова...

— И с внучкой маршала **Устинова**.

Вы с Антоном Табаковым — в одном классе?

— Нет, нет. Это Промыслова и Устинова. Там в классе А училась внучка Промыслова, а меня переводили из А в Б.

А почему переводили?

— За плохое поведение.

Я, как это, «развратил один класс» и меня пе-ревели развращать другой.

Из интервью Михаила Ефремова Станиславу Кучеру, RTVI (2019):

Я учился в 31-й школе. Это за МХАТом на Тверском бульваре. Это серьезное было у меня потрясение. Когда я учился в 60-й школе до 4 класса, в 4 классе совершил хулиганский поступок. Меня назвали фашистом, выгнали из пионеров и из школы.

Я с мальчика трусы сдернул и в раздевалку девочкам его затолкнул. Мальчика без трусов. Раз — к девочкам в раздевалку! «Ха-ха-ха». И сказали, что «все, он теперь заикаться начнет». Но он не начал, все нормально. И оттуда меня родители забрали и отдали как раз за соседний дом с папиной работой, чтоб… тоже был. Уже в этой школе я увидел, что ребята ходят не в школьной форме, а в джинсах, что ребята пишут «Паркерами», что у всех какие-то сумочки.

У меня были классы «А» и «Б». У меня в одном классе училась внучка Промыслова, а в другом — внучка Устинова. Промыслов — это тогдашний Собянин, а Устинов — тогдашний Шойгу. Ну и как? Там утром в 8:30 подъезжало до хрена черных машин. Привозили детей в школу. Там все было…

Когда я перешел туда учиться и там меня встретили так — «ну и что там?». И, в общем, туда пришел Антон Табаков, который учился на три года старше меня, но в этой же школе. Он пришел и сказал: «Если кто-чего, со мной дело иметь будете…» Потом я так же приходил в классе 9-м, когда уже подрос, в 6 класс к Феде Бондарчуку и Стёпе Михалкову и говорил всему классу, что «если кто их тронет, то…» Такая мажорская среда у нас была.

По-моему, с Антоном в классе учились Никита Хрущёв (внук Хрущёва) и Серёжа Аллилуев, внук Сталина. Представляешь, какая школа, какие там вообще вот эти все штуки были? На мой взгляд, у нас была демократия.

Родителями не мерялись. Но мерялись все время какими-то типа машинками, потом чуть постарше стали — сигаретами. Когда я туда пришел, уже даже в 5 классе меня спросили: «Salem будешь?» Я говорю: «Я есть не хочу». Потому что я подумал, что это салями имеют в виду, колбасу. А уже покуривали. Никто даже не знал о существовании таких сигарет в СССР тогда…

Когда-то какое-то интервью я давал. И я, перефразируя Пушкина, сказал: «С моим умом и талантом родиться сыном Ефремова!».

Это такая штука, которая с тобой всегда. Ты с ней ничего не можешь сделать. И отношение людей такое. Когда я в институт поступал, конкурс прошел (на удивление) в школу-студию МХАТ, когда объявляли фамилии, кто прошел, объявили мою, сзади девочка девочке сказала: «Ну, я тебе говорила!» Я слушаю это за собой всю жизнь. Я так понимаю, что и дети мои это слышат.

Из интервью Михаила Ефремова журналу «Интервью» (2013):

Я воспитываю детей... невмешательством. Особенно сыновей — они у меня уже взрослые, состоявшиеся личности. Однажды мой второй сын Николай попал в милицию — я его подверг на месяц остракизму. И что? И ничего. Он сам вне зависимости от моего с ним общения сделал все необходимые выводы. Уверен, что правильные. С парнями вообще не надо церемониться. Не думаю, что навязывать им свой литературный вкус, в котором и сам, признаюсь, сомневаюсь — правильное решение. Главное, чтобы они прочли Библию, Тору и Коран. Это не религиозные книги, это духовная литература, которая многое объясняет. Она освящает.

Родители читали много и со вкусом. Если посмотреть на нашу библиотеку, то можно было увидеть много закладок в книгах. Но у нас не практиковались советы в части книг — каждый читал то, что хотел. Не припомню, чтобы отец мне говорил: «Миша, читай то-то, делай то-то». Разве что мама пыталась развивать мой литературный вкус, часто говорила: «Мальчик из такой хорошей семьи, а такой серый. Неудобно». А воспитание со стороны отца было другим — ни напутствий, ни советов, даже не могу сказать, чем именно, но он меня воспитывал, это точно. Наверное, тем, что он просто был рядом. Я думаю, что литература соответствует времени, в котором ты читаешь книги. Конкретный, отдельно взятый момент, когда у тебя в руках появилась эта книга. Хорошее у тебя настроение, плохое, пьяный ты или в депрессии, хочется ли тебе полежать или поплясать — вот при разном настроении любима разная литература. Например, в армии я нормально служил только первые полгода, а вторые полгода не знали, куда меня «пришпандорить». Вот я и взялся читать — **Тургенева, Лескова, Гоголя.** Тогда у меня были обстоятельства и настроение такое — подходящее чтению классики. В какие-то моменты мне очень помогло «Откровение Иоанна Богослова». Как ни странно, в определенный жизненный момент, достаточно сложный, я читал не самую легкую часть библейских сказаний. И она меня укрепила.

Из интервью Михаила Ефремова «Новому времени» (2015):

Я никогда с отцом не говорил о том, что происходит в стране, потому что и так все понятно было. Ведь именно из его книжного шкафа я впервые достал «Архипелаг ГУЛАГ» и другие запрещенные книги.

Отец никогда в школу не ходил?

— Дед один раз пришел, **Борис Александрович Покровский,** с этой, со Звездой Героя соцтруда на груди.

NB *Борис Покровский — оперный режиссер, педагог, публицист; народный артист СССР, лауреат Ленинской премии, четырех Сталинских премий и двух Государственных премий России. Кавалер двух орденов Ленина. Осуществил первую постановку оперы «Война и мир» С. Прокофьева в Ленинграде (1946, Ленинградский академический Малый театр оперы и балета). По его просьбе С. Прокофьев написал вальс Наташи Ростовой, ставший символом этой оперы. В 1947 году постановлением Политбюро ЦК ВКП(б) о формализме в музыке была осуждена поставленная им опера «Великая дружба» В. Мурадели, однако каких-либо мер по отношению к режиссеру не последовало. В 1972 году основал Московский камерный музыкальный театр (ныне Камерный музыкальный театр имени Б.А. Покровского), получивший в 1997 году к 25-летию звание академического. Поставил здесь 75 произведений, из них — древнейшую русскую оперу XVII века «Ростовское действо» (1982) и одну из первых итальянских опер XVI века — «Эвридику» Я. Пери (1994), а также «Похождения повесы» И. Стравинского — первая постановка в России, «Дирижер оркестра» Д. Чимарозы, «Жизнь с идиотом» А. Шнитке и другие. Много работал за рубежом. Был первым постановщиком опер С. Прокофьева, получивших всеобщую известность, — «Война* и мир» в Софийской народной опере (1957), «Огненный ангел» в Праге (1981).

Михаил Ефремов когда-нибудь ходил в школу?
— Да, недавно *(беседа 2019 года. — Е.Д.)* ходил на «последний звонок» к дочке своей старшей.

NB *Анна-Мария Михайловна Ефремова — единственный ребенок, которого актеру подарила (14 октября 2020) жена №4 Ксения Качалина. И, опять же, единственный, что не избегает общения с прессой, в интервью после ареста родителя призналась: «Неприятно было посещать отца в первый раз с момента трагедии из-за огромного скопления журналистов у дверей. Отца в тот момент не было дома, его увезли на допрос, так что нас встретила Соня, его жена. Мы приехали туда с моей крестной Ренатой Литвиновой — она хотела поддержать меня и передать слова поддержки отцу, а уехала минут через 20—30 после того, как узнала, что конкретно ей посещать его нельзя. Хорошо, что это пришлось на тот момент, когда его не было дома: Рената не близкий родственник, так что это могло бы привести к серьезным проблемам... Гендерные стереотипы окружают каждого человека с младенчества — начиная с цвета детской комнаты и заканчивая тем, что твоя мама заставляет тебя надевать эту чертову юбку на детский* *праздник, когда так хочется повозиться с другими детьми. Испортишь одежду — будут ругать. "Ты же девочка. Сиди ровно!" Это капает на мозг раз за разом: ты же девочка, не ходи туда, не делай это, красивая, уберись, замажь, переоденься, видно соски, маленькая попа, ты же девочка, нормальные трусы, лифчик режет плечи, некрасивая, нет карманов на платьях, нужно брить все. Девочка, девочка, девочка... Все эти маленькие детали складываются в одну большую картину, как частицы пазла, — и в определенный момент тебя начинает это настолько раздражать, что ты посылаешь все на девятый круг к дьяволу или куда подальше. Потом, естественно, проходишь через период бунта: я, наверное, мальчик, раз мне это не нравится. Но обнаруживаешь, что и там, по сути, то же самое». Режиссер Валерий Сергеев заявил про мать девушки: «Всех своих жен Ефремов подсаживал на выпивку. Ася Воробьёва настрадалась от него и сбежала. На его третью жену Евгению Добровольскую достаточно посмотреть — все на лице написано. Четвертая жена Ксения Качалина спивается».*

А школа все та же?

— Нет, это «Класс-Центр» **Сергея Зиновьевича Казарновского**, известная такая школа.

Многие отправляют сейчас за границу детей получать образование...

— Ну, это, я думаю, происходит потому, что за границей лучше образование.

У меня пока нет такой цели, но мысли были.

А вот эти решения — отправить за границу, оставить здесь — решения коллегиальные или это всегда решения отца?

— Нет, это коллегиальные, конечно. Коллегиальные. Должна мать принимать в этом участие и сам человек, которого посылаешь.

Из воспоминаний Софьи Кругликовой:
«Детей заводить я не очень торопилась. Мне было больше тридцати, и понимание ответственности поднялось уже выше среднего уровня. Я плохо представляла себе, как и на что мы стали бы существовать, ведь в то время Миша зарабатывал совсем немного, от спектакля до спектакля. Деятели кинематографии не стояли в очереди, чтобы вписаться в его график занятости. Мало кто решался связаться с артистом, который до конца смены может не додержаться. Плюс к тому, когда мы познакомились, Анне-Марии, Мишиной дочке от предыдущего брака с актрисой Ксенией Качалиной, едва исполнилось два годика. Я бесконечно пытала Ефремова вопросом: "Может, вернешься? Ради ребенка? Если сумеешь наладить отношения с Качалиной, иди. Не волнуйся, я справлюсь". Но Миша такой вариант не рассматривал, он был страшно обижен на бывшую жену за измену. В та-

ких вопросах он строг, и в этом мы похожи. Даже не вспомню, кто придумал, но оказавшись под одной крышей, мы решили обменяться мобильными телефонами. Он взял мою трубку, а я — его. И соответствующим образом отвечали на звонки, отсекая те контакты, которые нас не устраивали.

Миша часто повторяет: "Какое счастье, что ты не актриса!". Я действительно не умею врать, обманывать. Только попытаюсь слукавить, сразу заливаюсь румянцем, как маков цвет. Мы строго блюдем друг друга, помогая не совершать глупостей, которые потом не исправить.

Когда спустя два года Бог даровал нам первенку, поразмыслив, пришла к выводу, что бояться мне нечего. Я ведь знала, как Миша заботится о старших детях. Даже если бы в наших отношениях что-то не сложилось, он, как преданный друг, не оставил бы ребенка без заботы... Почти месяц наша дочка прожила без имени. Поводом для долгих сомнений стал шедевр отечественного кинематографа "Маленькая Вера", бросивший длинную тень на прекрасное женское имя. Но потом мы плюнули на предрассудки и назвали, как хотели с самого начала. Вера — главное, что есть в жизни. Следующей на свет появилась Надежда. Официальный брак мы оформили, когда я была на сносях третьим ребенком.

Мы не слишком заботились о формальностях. У Миши уже случились два развода. Ему без разницы было — жениться или нет, зашиться или расшиться. Да, он такой: "неправильно" относится к жизни. Я же уверена, что все надо делать осознанно. Например, не даю Мише зашиваться, считая эту процедуру насилием над личностью и над телом. Если хочется, почему не выпить? Важнее настроить мозг на посыл "Мне этого не надо!", чем испытывать физический страх перед алкоголем. Человек способен справляться со своими желаниями, нужно лишь ему в этом помочь».

ГОРБАЧЁВ

Ты всегда был человеком, который советуется и соизмеряет свои решения с кем-то?

— Не всегда. Да и сейчас не всегда. Это, кстати, и плохо. Это, кстати, очень плохо. Ну, по-хамски, по-жлобски...

Ты ведь говоришь, что у нас «жлобская страна», что мы все жлобы.

— Я плоть от плоти своей страны.

Страна, она сейчас не та, в которой мы с тобой родились?

— Не та, конечно. Она лучше. Она просто переживает проблему перехода из одной, как это говорилось в школе, общественно-экономической формации или политико-экономической формации — в другую.

Оказалось, что в феодализм?

— Ну, из социализма, как мы надеялись, в капитализм, но через империализм.

Какой феодализм? Феодализм здесь как был, так и останется всю жизнь. Тут это не вытравишь.

Почему? Потому что «жлобы»?

— Потому что жлобы, конечно. Завистливые. Очень. Конечно.

???

— Ну, как? Про что у нас главные темы сейчас по телевизору? Ну, про США всегда, потому что это зависть неизбывная. А так — про Украину.

Мы завидуем Украине?!!!

— Конечно. Как это вы не с нами? Как это вы самостоятельно? Прямо слюней брызжем. Как вот этот, как его фамилия, человек такой — **Делягин** есть. Не помню я, как его зовут. И он, ну, жлоб абсолютный. Потому что он даже, по-моему, во внуки не годится **Михаилу Сергеевичу Горбачёву**, который для меня святой человек, и так по-хамски про него говорил. Вот если бы я имел руку в телевизор, то я бы там ему по мордасам-то надавал, конечно. Чтобы не смел больше про Михаила Сергеевича так никогда говорить. Это я предупреждаю: Делягин, встречу…

Про Михаила Сергеевича многие отзываются не самым лестным образом.

— Вот, «многих» прошу ко мне на шашлыки отравленные.

Ну, потому что как бы считается, что он, скажем мягко, страну проебал.

— Нет, на мой взгляд, он Россию спас. Потому что, если до 2000-го «совок» бы дотерпел, то мир бы, боюсь, разорвался.

NB В качестве коды этого фрагмента — репортаж с последнего дня рождения Олега Ефремова (из МК):

На этом дне рождения в доме на Тверской, что напротив МХТ, за небольшим столом не так уж много людей. Михаил Горбачёв, Вячеслав Ефимов, тогда директор театра, его заместитель **Ирина Корчевникова**, *одноклассник именинника —* **Николай Якушин**, *мхатовский фотограф* **Игорь Александров, Валентина Брейбурт**, *сотрудник театра — секретарь Ефремова* **Горячева**. *Из актеров:* **Андрей Мягков, Виктор Гвоздицкий, Владлен Давыдов, Татьяна Лаврова**. *Ефремов сидит между Горбачёвым и доктором МХТ Сергей Тумкиным. Позже подойдут президент Чеховского фестиваля Валерий Шадрин, Анатолий Смелянский и сын Михаил с (тогдашней. —* **Е.Д.**) *женой — актрисой Ксенией Качалиной.*

Олег Николаевич Ефремов: Я считаю, что Раиса Максимовна была умницей, совершенно замечательным человеком. Вот он (*показывает* *на Горбачёва*) не плакал. Ну там один раз. А я плакал. Михал Сергеич, мы все атеисты и так далее, все понимаем, главное — помни: ты среди нас находишь своих друзей и как хочешь вообще распоряжайся нами.

Горбачёв: Я вам должен признаться, что все эти дни... Очень тяжело мне... Состояние просто невыносимое, как будто свинец разлился по всему телу — ну ничего не могу делать. ...Назначали ей всякое лечение там... Все было бессмысленно... Поднимались с ней на второй этаж, где там все у нас было с ней — и библиотека, и кабинет, — это мы делили на двоих. И она говорила, о чем болит сердце... Я не мог ее сохранить. Ученые не знают причины, отчего происходит эта болезнь страшная — лейкоз.

<...>

Вы поймите, ничего бы не было: ни Горбачёва, ни перемен, если бы не было этого, вот вас всех.

Олег Николаевич Ефремов: Речь шла только о власти. И больше ни-че-го!

Я помню, Михал Сергеич, как ты им сказал, когда все орали: «Рыночная экономика, рыночная экономика!» — тихо так сказал: «Рыночная экономика? Ну попробуйте». Это я слышал сам.

Все-таки странное впечатление оставляет этот последний в жизни день рождения Олега Николаевича. И не похож он на день рождения, скорее, политическая сходка, дискуссия. Даже за именинника мало поднимают тостов.

Горбачёв: Один мой дед, Пантелей, самый любимый, идет создавать колхозы. А дед Андрей, отец отца, до 35 лет не вступает в колхозы, остается единоличником. И вот между ними идет разлом. Потрясающе! Более того, когда отец мой идет на сторону тестя, становится механизатором, у них с отцом начинается разлад — они не могут разделить урожай. И он душит отца моего! Бабушка моя, Степанида, кричит: «Мария! Скорей сюда! Батька Серегу убивает!» (*Смех*.)

Олег Николаевич Ефремов *(тихо спрашивает)*: Как же быть с Россией?

Горбачёв: Россия будет.

Олег Николаевич Ефремов: Я знаю, что будет.

Горбачёв: Вот я думаю, Олег, что программ много, но главный пункт — надо уберечь народ... Вот как? Кормить можно — продукты есть.

Из интервью Олега Ефремова «Независимой газете» (1997):

Я стараюсь быть справедливым, а не то чтобы верным. Я справедлив — не было бы никакой этой жизни, если бы не Горбачёв. Я видел, как он тыкался то туда, то сюда, движимый каким-то своим чувством — тоже справедливости. Поэтому я искренне не понимаю, почему интеллигенция так его отбросила от себя. Я не говорю, что таким именно и должен быть руководитель, я говорю о том, что он совершил и сделал у нас в стране.

А во что это вылилось... Он уже тут ни при чем. Не он виноват в том, что демократы-то, грубо говоря, оказались жиденькими — все, к сожалению. И вороватыми, хотя это, конечно, недоказуемо.

Ситуация перестройки или постперестройки, когда идет борьба за власть, время — оно всегда так качается. И анпиловские призывы, и наша всегдашняя боязнь гражданских столкновений... Отголоски этого должны быть.

Из интервью Михаила Ефремова изданию «Афиша Daily» (2015):

Дело не в перестройке, и без нее было понятно, что все это долго не проживет, потому что это вопрос распространения информации — а тогда она уже начала поступать с Запада, и люди задумывались понемногу. А Горбачёв... Мог бы быть другой человек на его месте. Могло быть и намного хуже, будь это человек с другим воспитанием. Спасибо Раисе Максимовне — он и на Таганку ходил, и Вознесенского читал, и Окуджаву слушал. А это же была не кромешная какая-то оппозиция, а вот просто люди говорили про то, что давайте по-честному, давайте, чтобы без вранья было. Но это единственное, что может в России что-то изменить, — вот такой запрос, запрос на честность.

И, кстати, он удовлетворяется, все-таки время уже не то. Есть ощущение, что мы с жиру бесимся. Ну это давнее, еще при Ельцине началось.

Когда начали появляться первые столики на улицах при кафе, году в 1997–1998-м.

Мой отец смотрел программу «Время», теперь я вот иногда ее смотрю. Я пожилой человек, как иначе. И я не могу сказать всем людям в стране, мол, не смотрите телевизор. А что им еще делать? Слава Богу, что там помимо великих пропагандистов есть еще и неплохие профессионалы своего дела. У нас телевидение интереснее, чем за границей, на самом деле. И каналов масса, найдешь всегда что посмотреть. А в СССР смотри, сука, «Спокойной ночи, малыши» — и спать немедленно.

Е-мое, мы семьдесят четыре года жили при коммунизме. Ты-то ни фига не помнишь, а у меня полжизни там прошло. И при всем моем критическом отношении к современному строю — тогда было гораздо хуже, просто нах забыли. ..., вообще Северная Корея была. Я-то ладно, я мажор, хрен бы мне что сделали, но я помню все эти колбасные очереди, бомжей, грязь на улицах. Вы просто не понимаете, как жизнь изменилась. Да, все эти сериалы ностальгические, я тоже принимаю там участие, но это...

Как объяснить-то? Это как с армией — я об армии тоже вспоминаю с радостью, хотя это два года, выкинутые из жизни. Но вспоминаю с радостью. Чему я там научился? Ничему, ну прочитал много разве что. Я сам писал: отправьте меня в Афганистан. Все писали, и я писал. Не было такого, как сейчас: «Вот же, бля, наша страна напала на другую страну». Но ностальгии по всему советскому у меня нет. Я в седьмом классе побывал в Чехословакии и вернулся сюда с одним вопросом — почему грязь такая на улицах? А потом отец привез из Японии видеомагнитофон, телевизор и три кассеты — «Братья Блюз», «Melody in Love» (такая мягкая эротика) и «Deep Throat» с Лавлейс, классику порно. Я это дело посмотрел и понял — пиздец коммунизму.

Из интервью Михаила Ефремова Станиславу Кучеру, RTVI (2019):

Половина этого поколения не догнала, а половина этого поколения догнала. И поэтому поколение такое расколотое. Много из этого поколения людей, которые не понимают других людей в этом же поколении. Кто-то не сумел принять… Сначала, пожалуйста, Горбачёва, потом Ельцина, потом чеченскую войну. Потом чего там только не было. Но зато понравилось, что Крым. А кто-то, наоборот, вот это все не принимал, и Крым не нравится. Таких тоже очень много. Это все вот эти восьмидерасты, которые попробовали больше, чем другие поколения, не говоря уже о молодежи, которая родилась в конце 1990-х. Мы же увидели все практически. Мы видели Советский Союз, мы его помним. Мы помним это время. Я в армии служил… это Советский Союз. А потом, когда Горбачёв и понеслась вся эта штука… Но мы еще, конечно, театр-студию создавали на этом всем. Понятно, что время было идеалистическое, романтическое, как угодно назови. И, конечно, в Гениных этих словах есть немало сарказма и иронии. Но все равно это такое, как мне кажется, поколение, которое видело и демократию, и свободу, и жуткую рыночную свободу, и войну, и даже несколько войн сейчас…

Одни говорили, что «мы очень крутые, не допустим авторитаризма». А вторые сидели, думали «скорей бы авторитаризм пришел». Что вот это раздражает… И именно этот водораздел. Кто-то хочет более вперед, а кто-то — как было. Везде этот раздел есть. Кто-то более прогрессивен, кто-то, наоборот, реакционен.

ОЛЕГ НИКОЛАЕВИЧ ЕФРЕМОВ, ОТЕЦ

Свое последнее интервью Олег Ефремов дал легенде «Комсомолки» Ольге Кучкиной за пол-года до своей смерти.
Олег Ефремов, любимый артист России, возглавляющий Художественный театр имени Чехова, тяжко болен. Эмфизема легких, пневмосклероз, «легочное сердце» — все, связанное с дыханием. Встретил в прихожей и сразу вернулся к аппарату, через который должен дышать 15 ча-

сов в сутки: постоянная, только чуть ослабленная кислородная маска. Он уже собирался лететь в Швецию, решив, что пойдет на трансплантацию органов, да знаменитый хирург-легочник **Перельман** отговорил: эти операции делают до 65, при том, по его выражению, легче человеку голову заменить, чем легкие и бронхи. Мы разговаривали накануне отлета Ефремова во Францию — Перельман сказал, что там лучшая медицина по этой части. Характер прежний. Острый глаз также.

— **Ты еще куришь?**

— Иногда. Нервы, нервы, нервы.

— **Мне показалось, ты сохраняешь мужество и спокойствие. Или срываешься?**

— Дураки, я думаю, всякий нормальный человек срывается.

— **Как ты смотришь на себя самого?**

— Я смотрю, чтоб выцарапать хоть какую-то надежду. Вот и все. То есть привыкнуть можно, и 15 часов дышать через аппарат, как я должен дышать. Я сплю с этой штукой, потом еду в театр — там другая штука, которая наполняется кислородом, можно беседовать и даже репетировать. Ну, трубки в носу. Но любое физическое напряжение вызывает одышку, это очень неприятное ощущение, я тебе скажу, когда ты задыхаешься. Мне многое делается неинтересным. Ну, давай, ты о политике пришла поговорить?

— **Сомерсет Моэм лет в 40, кажется, написал книгу «Подводя итоги». После чего жил до 90. Я пришла поговорить...**

— О Моэме? Давай. *(Хитрый глаз).*

— **О тебе. Удовлетворен ли ты жизнью, какую прожил? Был ли счастлив?**

— Понимаешь, все эти понятия счастлив-несчастлив — это несерьезно.

— **А что серьезно?**

— Серьезно вот это: ведь и эмфизема, и остальное закладывается гораздо раньше. Сейчас бы я этого не допустил. Потому что понимаю, что самое ценное — это здоровье. Вот и все. Я жил всегда достаточно активно. В этом, может быть, характер. Я и пил достаточно серьезно. И курил, конечно. И все остальное...

— **Про остальное чуть позже...**

— Нет, я не Андрон Кончаловский...

— **А я не собираюсь спрашивать имена. Но ты всегда жил богато...**

— Не в смысле денег, конечно. Я жил интенсивно. И главным всегда было дело.

— **Все вокруг театра.**

— К сожалению.

— **Почему, к сожалению?**

— От этого в кино многие роли были сыграны моими любимыми коллегами, потому что я не мог сниматься. Ну, слава Богу. Но сейчас, когда идет пересмотр всего, хочется подраться, а нездоровится. Театроведение в жалком виде.

— **Тебе это так важно?**

— Я же театром занимаюсь!

— **Ну и что? Книги о тебе уже написаны.**

— Меня не это волнует. Меня волнует единый общий процесс. И когда или не понимают, или принцип — булавку куда-нибудь вогнать... Хотелось кого-то защитить, что я делал всегда. Но сейчас я в таком промежутке. Иногда совсем плох. Думал уходить из театра. Но они мне объяснили, что в конце концов важно, что я там есть.

— **Последнее, что ты сделал, — «Три сестры»? Я плакала на нем. И была счастлива. За себя как за зрителя. И за тебя как режиссера.**

— Спектакль, который раскрывает Чехова побольше, чем предыдущие. По сути дела, сидя здесь, я все равно руковожу театром. Кто-то слышит... а кто-то нет...

— **Как это организовано? К тебе приходят люди? Или ты ходишь?**

— Никуда я не хожу. Ко мне. Единственный раз меня одели и довезли до **Лужкова**. После этого я сажусь в машину и говорю шоферу и **Славе Ефимову**, директору театра: слушайте, братцы, давайте съездим посмотрим Андроников монастырь, я его никогда не видел!

— **Где Рублёв?**

— Ну конечно! А я не был! И еще хотел посмотреть со стороны берега стрелку, где **Шатров** бизнесом занимается...

— **Фирма «Красные холмы»?**

— Он давно хочет меня туда отвезти. И вообще предлагает целый театр: бери... Я посмотрел со стороны: такие солидные здания. И монастырь посмотрели. Так что в будущем, если я смогу, конечно, то Рублёва там буду смотреть обязательно!

— **Я думала, ты скажешь: театр открою!**

— Нет, тут достаточно работы. Может быть, я еще выпущу спектакль. «Сирано». Могу тебе сказать почему. В память **Юры Айхенвальда**, это его перевод.

— **Вы дружили?**

— «Дружить» — трудное слово. Но мы были очень знакомы.

— **В память «шестидесятников» тех лет?**

— В память его.

— **Над Художественным сейчас какой-то туман, и из этого тумана доносятся голоса, что надо бы уже театр отдать кому-то другому. Как ты к этому относишься? Страдаешь?**

— Я плюю на это. Потому что, во-первых, это исходит от меня. Во-вторых, почему-то Художественный театр имени Чехова особенно интересует критиков: если какая-то гадость, с удовольствием ее растиражируют. Потом они могут наоборот...

— **Почему я позвонила тебе — прочла, что ты покидаешь МХАТ.**

— Я сам, здесь вот сидя, говорил, что, наверное, надо уже думать о преемнике. И когда был в больнице, позвал к себе **Лёлика** *(Олега Табакова. — О.К.).* Он прекрасный организатор, имя и так далее. И сказал: ты имей в виду... Но сейчас пока нет.

— **А он что тебе ответил?**

— Он кивал. Все-таки ученик.

Позже принесут «Общую газету» с монологом Табакова, в том числе об отказе возглавить МХАТ имени Чехова. Ефремов, читая, нахмурится, отложив газету, скажет: «Думаю, он не совсем верно меня понял».

— **В твоей жизни радостные моменты с чем связаны: с началом репетиции, с финалом премьеры, с выездом в лес, с появлением актрисы или актера — от чего екало сердце?**

— От чего екало? Ну когда выпьешь хорошо, да еще с дамой... А сейчас этого нет.

— **Ты испытываешь одиночество?**

— Понимаешь, оно мне необходимо.

— **С самим собой не скучно?**

— Нет. Я читаю в это время. В последнее время перестал. Я так много всегда читал! Очень много! Историю, прозу...

— **Стихи любишь?**

— Не всякие. Пастернака, еще со времен «Живаго».

— А Бродского? Чухонцева?

— Не очень трогают. Как мне представляется, своей эмоциональной сухостью...

— Тебя больше трогает сердечная поэзия?

— Почему, у **Пастернака** не только сердечная поэзия. Он чувственен. Вот это я понимаю. Это я и люблю на театре, и всюду. То есть искусство переживания.

— В «Трех сестрах» ты сделал такую плоть жизни... за сердце хватало...

— В этом секрет театра и есть. Кино — великое искусство, но все равно консервы, так или иначе. А театр — если только заниматься всерьез актерским искусством..

— До полной гибели всерьез, как сказал твой любимый поэт.

— В чем вся и штука.

— Ты человек эмоциональный, от чего-нибудь плакал?

— Нет.

— Почему?

— Это уж обратись к врачам.

— Самоанализом не любишь заниматься?

— Все занимаются самоанализом. Сам момент работы... я не говорю, творчества... **Павел Нилин** однажды сказал мне: неприлично говорить «творчество», надо — «работа». Ты в это время не фиксируешь: то-то и то-то, но это и есть процесс анализа и самоанализа.

— **Бог тебя наделил обаянием. Ты, некрасивый, источаешь необыкновенное обаяние, ни одна женщина не могла пройти мимо. Как ты думаешь, почему у тебя не было одной женщины — почему их было много?**

— Да не так много, во-первых...

— **Ты очаровывался?**

— По-разному было. Я не люблю вульгарных женщин. Это может быть совершенно простая женщина, но я говорю об отношении к вещам... Это сразу меня отвращает.

— **Любил нежных? Ярких? Интересных?**

— Очень разные все. Когда говорят: незаменимых нет — это неправильно. Да, руки, ноги, все одинаково, но то, что мы называем душой... хотя ее нет...

— **Души нет?**

— Есть наше сознание. Мозг — в нем всякие закавыки, их никак не поймешь.

— **В тебе была масса душевных запасов, ты тратил себя очень мощно...**

— Тратил. Может, поэтому мне так тяжело. Я все думаю: где же она, эта жизненная сила, я без нее не могу! Не могу я без нее! Я всегда был в определенном тонусе. Я и сейчас думаю: надо поддать. Хотя знаю, что потом будет. Тут-то я уж все знаю. Олечка, выключи, я забыл выключить аппарат, а он забирает у нас с тобой кислород из воздуха...

— **Скажи, у тебя никогда не было мысли, что эта болезнь, которая подкралась, как расплата за что-то?**

— Да. За неправильный образ жизни.

— **Грехи наши тяжкие?**

— Нет, у меня нет грехов. Потому что для меня первый грех — предательство. Про убийство не будем говорить, а вот такой житейский... Таких вещей не делал.

— **То есть спишь хорошо?**

— Со снотворным, да.

— **А твой сын, что он для тебя?**

— Это так меняется! Я люблю его, несомненно, но он бывает иногда такой...

— **Эта история в театре, когда он поднял руку на пожилого человека... Он в театре не работает?**

— Я могу это взять на себя, но я не иду на это.

— **Я помню, как он вышел первый раз на сцену маленьким, лет в 11–12, в пьесе Володарского, и все остальные актеры показались деревянными, настолько он был органичен...**

— Я уговаривал его вернуться в театр как актера. Но он, понимаешь, судится с МХАТ!.. Это длинная история, не хочу говорить.

— **Он тебя любит?**

— Говорит, что любит. В интервью, журналистам.

— **Сколько у тебя внуков? Родственные отношения играют в твоей жизни серьезную роль или второстепенную?**

— Второстепенную, к сожалению.

— **С твоим отцом у тебя были отношения не второстепенные?**

— Да. Он прожил долго, 94 года.

— **В детстве, наверное, такой близости не было, как в старости?**

— Естественно. Получалось так, что он уезжал до войны, после войны. Работа такая. Наш общий друг **Егор Яковлев**, когда был избран секретарем райкома комсомола, первым делом позвал меня к себе, на улицу Чехова, подошел к сейфу, раскрыл его, достал оттуда несколько листиков и говорит: вот мой первый подарок. Это были доносы на меня. И на отца. Про него написали: буржуазный недобиток. Он окончил экономический, потом Институт легкой промышленности, был чуть ли не замнаркома легкой промышленности, но ушел где-то в 30-х годах. До сих пор помню название учреждения, где он работал в плановом отделе: Росстеклофарфорторг. Мы жили довольно бедно. Хотя и в престижных арбатских переулках: угол Гагаринского и Староконюшенного.

— **И я на Староконюшенном жила. В доме 19.**

— Это серый, громадный? Там потом **Никита Хрущёв** жил, когда его прогнали. А я жил за углом, первый подъезд. Напротив пивная. А наискосок вроде районная банька. Так вот, Никита не любил души-ванны, он ходил в эту баньку. А после поворачивал и шел в пивнушку. Все расступались...

— **Откуда ты знаешь?**

— А я с балкона смотрел. Третий этаж, все видно. Он выпивал кружку пива, отходил, а вслед ему такая реплика: ни хуя, мы тебя еще и политуру пить научим!.. И это все правда. Хотя и не поверишь. Вот так мы жили. Квартира-коммуналка, но жили только старые большевики. Я помню, когда в газовой колонке жгли вырванные страницы книг, там, где «враги народа»...

— **Почему ты пошел в актеры?**

— О, вот это интересно! Об этом можно книжку писать! В Мало-Власьевском переулке стоял особняк Лужского, третьего основателя МХАТа. Его после революции немножко уплотнили, две громадные комнаты дали Бабанину, тоже актеру. Он жил с племянником. Вот к нему-то и привел меня сосед по коммуналке Вадим Юрасов. Это надо было звонить в звонок, лаяла собака, волкодав Геро, проходило время, выходила прислуга, открывала дверь, мы шли жасминовой аллейкой мимо сада и попадали в этот особняк. А было мне 5–6 лет. Потом, уже после 37-го года, в этом особняке появился мальчик **Саша**, сын расстрелянного генерала **Межакова-Каютова**. А на самом деле — сын **Лужского-младшего**! Я каждый вечер приходил к ним, и мне надо было заставить этого Сашку сопливого, чтобы он влез наверх в кладовку и стибрил бутылку виски. Поскольку во время войны часть особняка сдавалась военно-морскому атташе Америки. Сашка очень боялся, но я его заставлял. И мы с ним пили это виски, окурки сигарет «Кэмел» курили...

— **Вот когда начался образ жизни!..**

— А потом Бабанин поставил нам с Сашкой сцену из «Месяца в деревне», и мы играли ее в актовом зале школы. Потом был дом пионеров, где Александра Глебовна Кудашева руководила студией, Сашка меня звал, я отказывался, он говорит: там девочки. И тогда я сказал: ну пойдем... Потом **Сергей и Женя Шиловские** ввели меня в булгаковский дом... Если бы не это, конечно, я бандитом был бы наверняка.

— **Раз отец дожил до таких лет, и ты должен жить долго.**

— Посмотрим.

— **А ты смерти не боишься?**

— Я смотрю просто: отключился, и все.

— **Неведомое страшит.**

— Мне ведомо. Это как операция, тебе делают под общим наркозом, и все. Жаль. Жизни жаль. Сейчас все меньше остается... Это мне и плохо.

— **Ну да, ты же жадина, ты привык!**

— Вот это ты права. Я был жадина!

— **Господь тебя ничем не обидел. Он кого любит, того и заставляет страдать.**

— Я беру с собой в Париж всего одну книгу.

— **Какую?**

— Библию. Я не читал Ветхого Завета. Хочу прочесть.

ПРО ПОХОРОНЫ. ВЕСЕЛОЕ

Все, что касается «Гражданина хорошего», находилось в зоне ответственности Андрей-Виталича Васильева: когда Ефремов на пару с Орловым выступал в киевском клубе Atlas, я уточнял статус проекта у Васильева (он был в Лондоне) — «Господин» перестал быть цикличным + эфирным, но все еще был на плаву. Хотя хоронили его не раз. И не два. С этого и начал я тогдашнюю свою беседу с лицом проекта.

Михаил, ты со своими «подельниками» несколько раз «хоронил» проект «Гражданин поэт». Это был коммерческий ход?

— Ну, похороны были, один раз похоронили. Потом столько было желающих кинуть горсть земли в могилу проекта «Гражданин поэт», что пришлось провести и второй, и третий раз.

Ну, я слышу какие-то ностальгические нотки...

— Нет, это не ностальгические. Это ностальгические — по площадке.

Кстати, на той же сцене ты праздновал полувековой юбилей — «Запой с Михаилом Ефремовым». Кто придумал такое провокационное название?

— Я думаю, что Васильев придумал. Я, честно говоря, не помню. Это было давно придумано. И вообще, дело в том, что очень много ваш брат-журналист пишет про то, что, ну как говорят, Михаил Ефремов — это кто? Актер-алкаш. И второе, я хотел бы, чтобы меня называли пьянчужкой. «Запой» имеет двоякое значение.

Я понимаю, что это как глагол «запеть».

— «Проснись и пой». Встаю утром, пою. У нас даже **Дима Быков** пел с **Мазаевым** в Малом театре один раз.

Серьезно? Я Диму никогда не видел поющим.

— Я так никогда не хохотал. Он не попал ни в одну ноту. Но мне сказал, что у него очень хороший слух, потому что не попасть ни в одну ноту — это уметь надо.

А у тебя еще и дети поющие, по-моему? Ну, не профессионально поющие, однако со слухом и голосом.

— Ну, я, честно говоря, надеюсь. Вот у меня **Боря** в три года пошел в хор и получил пятерку по сольфеджио.

Это отличная идея, семейная как бы тема, мне кажется, — с детьми что-то исполнить.

— Ну, я надеюсь, что поможет в этом моя жена **Соня**, «золотые уши России», как ее называет **Дмитрий Дибров** (но не забывает добавлять при этом, что я «золотая печень России»). Маленьких все-таки пока не хочется еще тащить.

Из интервью Михаила Ефремова журналу «Интервью» (2013):

Знаете, что я больше всего ценю в женщинах? Чувство юмора, иронию, самоиронию, здоровый цинизм и легкое отношение к жизни. И угадайте теперь, почему я ее ни на кого не променяю! Моя супруга не пьет вообще ничего и никогда, и у нее есть четкая позиция относительно алкоголизма. Пьешь? Не контролируешь себя? Оставайся там, где наливали, домой не приходи. Выспишься, придешь в себя — добро пожаловать. Дома ты должен быть в трезвом уме и добром здравии. При этом она всегда знает, где я нахожусь, даже если я сам об этом не сообщаю. Женская интуиция плюс доскональное знание моих привычек и любимых мест в городе. А по поводу того, что Соня меня бьет, — так это правильно. Может и затрещину отвесить. Женщине можно. А моей женщине тем более.

АВТОРИТЕТ

Ты же вот, допустим, уже в десять лет уже знал, что ты будешь...

— Нет, я еще не знал.

Как не знал?! Ну, в тринадцать-то уже ты определился.

NB *В 1976 году Миша снялся в трехсерийной телевизионной драме «Дни хирурга Мишкина». Ефремов играл роль сына главного героя Евгения Львовича Мишкина, заведующего отделением больницы маленького провинциального городка (роль коего исполнил Ефремов-старший).*

— Ну, я снимался в фильме, да, да. И не в одном, а уже в двух.

Но я не могу сказать, что я определился в то время. Все равно же в тринадцать лет человек думает, а может, я тем стану, а может, этим, а может, там... Открыты все дороги.

Ты же понимал, что у тебя что-то получается?

— Да не особо.

Вообще, у меня такого ощущения, что получается, не бывает почти. Очень редкое ощущение. Оно какое-то такое — не очень правильное. Потому что, когда ты так думаешь — «а хорошо сыграл», — на самом деле это ой обманчиво. Потому что, если у тебя такое ощущение, зритель увидел на сцене самодовольного дурака, который там чего-то играет.

Из интервью Михаила Ефремова «Новому времени» (2015):

Слушайте, нет у меня огромного количества поклонников. Я знаю, что такое большое количество поклонников у артиста: мне об этом рассказывал папа, мне об этом рассказывал дед. Что касается меня, то полстраны вообще знать не знают, кто я такой, потому что фильмы не смотрят. А в театр ходит вообще 1% населения. О чем мы говорим, когда самые популярные телеканалы — «Муз-ТВ», ТНТ или те, на которых показывают детективы? Ведь весь этот кошмар про Украину, все эти «Анатомии протеста» смотрит не так уж много народу. А большинство музыку слушает и детективами наслаждается. На хрена им смотреть какие-то новости? Лучше они посмотрят фигурное катание или американский фильм, если уж на то пошло.

А с женой обсуждаете, что получилось, что не получилось у тебя?

— Нет, она потому и супруга, что она считает, что, в принципе, моя работа — это тьфу, не бей лежачего.

А-а, вот так вот, да?

— Конечно. «И не надо делать вид, что так ты устал».

Ну, она права, потому что она работает, у нее трое детей все время. Но, правда, у нас есть разница в возрасте, чем я пользуюсь иногда.

А как ты пользуешься? Авторитет включаешь?

— Ну, авторитета нет уже давно. Я не включаю авторитет, я пытаюсь бить на жалость. Но тоже не очень получается.

Из интервью Софьи Кругликовой (2014):

«Где Миша имеет абсолютный авторитет, так это в империи развлечений. Он любит баловать детей, покупает дорогие машинки, катает на каруселях и американских горках, кормит сладостями и мороженым. Двух старших дочерей, Веру и Анну-Марию, возил в Universal Studios в Америке, в парк Гарри Поттера в Лондоне. На самой смешной семейной фотографии Миша с Верой мчатся с американских горок. Дочь в панике и отчаянии, с перекошенным от страха лицом, прижимается к отцу, у Миши от сумасшедшей скорости стянута кожа, он пытается улыбаться, но не может. И тоже в ужасе. "Посмотрите, — смеюсь я, — эти двое получают «удовольствие» да еще и деньги за это заплатили!"

Миша открывает для детей границы, а я занимаюсь кропотливой каждодневной работой. Если спросить детей о ярких событиях их жизни, это наверняка будет что-то необыкновенное, связанное с отцом. А мама? Для них я зануда. Когда Миша приходит к детям, они рады ему и готовы пойти, куда скажет, играть, во что только захочет. Самое страшное наказание, если по каким-то причинам, например из-за невыполненной домашней работы, я оставлю их дома и папа вынужден будет отправиться в культурный поход с одной старшей дочерью, Анной-Марией.

Я выбираю не баловство, а труд. Дети учатся в математической школе: хочу, чтобы знали много всего. Люблю, когда они увлекаются, а не развлекаются. Пусть им будет интересно, а не легко. Пока они часто витают в облаках. Гуманитарии из них и так получатся — из среды не вырвешься. Если бы вы знали, как я радовалась, когда Вера в два года пела мимо нот: слава Богу, музыкантом не будет! Ан нет, через пару лет слух наладился, она уже играет на скрипке и фортепиано, прекрасно поет. Обломались мои мечты о медведе на ухо!».

«ЗАПОЙ»

Про «Запой» расскажи поподробней.

— Это медиаменеджерская идея Андрея Витальевича Васильева. Он сказал: «А вот пятьдесят тебе будет», как раз, когда ему было пятьдесят, в 2008. И почему-то я хотел справлять пятьдесят лет в Колонном зале Дома союзов. Помнишь, когда похороны были и там портрет вождя висел? И гроб выносили. Вот такой же дурацкий портрет я хотел, чтобы висел хоть один денечек.

Но это все-таки слишком: Дом союзов — он же рядом с Госдумой. А «Крокус Сити Холл» все-таки на окраине. И конечно, это очень технически удобная площадка.

Вот ты упомянул похороны. Открыл как бы сам эту дверь.

— Похороны «Гражданина поэта». Или ты имеешь в виду Колонный зал Дома союзов?

Нет. Гармаш мне как-то признался, что самый правильный вопрос, который надо задавать, — это думает ли человек о смерти. Сказал, что ему задали на творческом вечере такой вопрос, и это его очень впечатлило.

— Я с неизбежностью отношусь к смерти. Как можно относиться? Чего думать? Как это будет, это я уже отдумался. Это когда тебе лет пятнадцать, шестнадцать, семнадцать, вот там ты о смерти думаешь, представляешь, как ты мертвый лежишь и все плачут.

Вот это те штуки. Сейчас уже все-таки страшновато об этом думать.

Из интервью Софьи Кругликовой (2014):

«Я — правильная, хожу в церковь, каждое воскресенье вожу детей в храм, исповедуюсь, причащаюсь. Понимаю, что пилить и капать на мозги, мол, пойди в храм, бесполезно. Пытаюсь примером показать, что если его малые дети способны, то и ему это не великий труд. Я чувствую Мишу и теперь уже понимаю, зачем он прячется, надевая маски. Могу их легко сдернуть и увидеть оголенное, больное, страдающее сердце. Поэтому не буду доставать мужа лишними вопросами или просьбами, когда он не в духе... Раньше пыталась настаивать: пойди на улицу с коляской, погуляй с детьми. Потом поняла: не может Миша упиваться детским агуканьем. Вот не дано человеку — и все тут... Несчастный человек? Обделен эмоциональным восприятием мира? Не знаю. Видели бы вы, как он болеет за любимый "Спартак", рвет себя на куски. Ради кого? Ради маленьких человечков, бегающих по большому полю? Если Миша столь же эмоционально начнет катать коляску или пеленать малыша, еще, чего доброго, выкинет с грязным бельем и ребенка».

Нет, ну смотря как к этому относиться, какие опции рассматривать.

— Ну конечно.

Вот ты, допустим, веришь, что ты «есть после смерти»?

— Я верующий человек, православный. Но не могу сказать, что я углублен. Но, конечно, по-моему, правильнее «есть», конечно. Еще как можно сказать? Что если ты веришь, что там чего-то будет, значит, там чего-то будет. А не веришь, то и не будет ничего.

Кстати, действительно, очень резонно. Когда-нибудь обсуждал это с женой?

— У меня супруга православная. Она у меня ходит каждое воскресенье с детьми в церковь. Я редко хожу. Я — грешник.

Обсуждал ты с ней печальные перспективы, условно говоря?

— Мы не обсуждаем такие вещи. Но мы же вместе. И поэтому как бы... чего нам обсуждать?

Из интервью Софьи Кругликовой (2014):

«Возможно, когда-то Миша пил, возможно, было в нашей жизни такое страдание. Но это все далеко в прошлом. Сейчас он позволяет себе расслабиться как любой взрослый человек, имеющий трудную работу. Артистическая стезя — это не простое кривляние перед толпой. Она связана с великим эмоциональным внутренним напряжением, и публика всегда чувствует, насколько выкладывается актер, насколько точно передает заданный режиссером характер. Мишины роли разнообразны, но все, на мой взгляд, хороши. Он прекрасный актер и редко отказывается от работы еще и потому, что

настоящий трудоголик. Работает на износ, обеспечивая все семьи, которые когда-либо имел. В отличие от многих считает это своим долгом. Дети, с матерями которых Миша по различным причинам разошелся, получили в наследство самого безотказного папочку на свете. Для меня загадка, почему они не трубят об этом на всех углах, не благодарят прилюдно, а рассказывают в СМИ страшилки, как страдали, пока были рядом с Ефремовым».

А как папа твой знаменитый?

— Как его отношение с религией? Ну, крестик у него в столе лежал. Его крестили. Наверное, крестила бабушка, ну, мама его, **Анна Дмитриевна**. Все-таки он родился в 1927 году. Но тогда это была традиция. Хотя и сейчас это...

Нет, сейчас это скорее тренд. А тогда да, традиция.

— Нет, тренд это был, скорее, в конце 80-х — начале 90-х, когда их всех «подсвечниками» звали.

ПРО СОФЬЮ КРУГЛИКОВУ, ВЕРСИЯ САЙТА «ШТУКИ-ДРЮКИ»

Пятая жена — Софья Кругликова, звукорежиссер. Софья Кругликова. Родилась 11 декабря

1971 года в Москве. Российский звукорежиссер, педагог. Пятая жена актера Михаила Ефремова. Софья Кругликова родилась 11 декабря 1971 года в городе Москва. Отец — инженер. Мать — Елена Борисовна, по образованию биолог. Старший брат — Владимир Кругликов. Отец неплохо пел и играл на гитаре, хотя в целом ее семья никакого отношения к музыке и театру не имела. В возрасте трех лет под влиянием бабушки Лиды она начала заниматься музыкой — училась игре на фортепиано. И уже в свои три года она выучила ноты. С семи лет занималась вокалом. До четырнадцати лет пела в детской труппе Театра Покровского (Камерного музыкального театра), где ее педагогом была Елена Львовна Озерова. Была знакома с Борисом Александровичем Покровским — дедом ее будущего мужа Михаила Ефремова. «До сих пор храню трогательную фотографию с Борисом Александровичем: он показывает мне, как должно тянуть руку, и я старательно за ним повторяю. Одной из почетных обязанностей детей было приносить мэтру из буфета чай в стакане с подстаканником. Мне доводилось несколько раз выполнять ее. Я присутствовала на многих репетициях, и не только детских спектаклей. Знала, как Борис Александрович работает и как бывает строг и несдержан с артистами», — вспоминала она. Как говорила Софья, она никогда не стремилась солировать на сцене, ей нравилось петь именно в хоре — быть

Михаил никогда не равен самому себе. 2006 год.
Фото — Михаил Левитин. Коммерсантъ

Михаила Олеговича всегда будут сравнивать
с Олегом Николаевичем. 1964 год.
Фото — Галина Кмит. РИА Новости

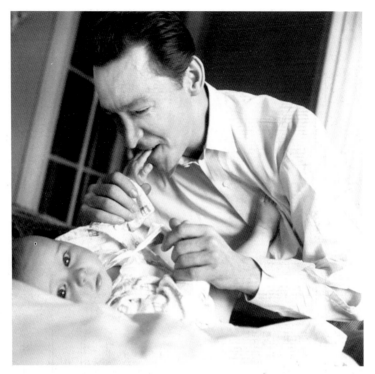

1963 год. Фото — Галина Кмит. РИА Новости

Олег Ефремов с отцом Николаем Ивановичем
и сыном Михаилом. 1977 год.
Фото — Александр Устинов. РИА Новости

Актеры театра «Современник-2» Никита Высоцкий
и Михаил Ефремов. 1988 год.
Фото — Лев Носов. РИА Новости

Признание пришло. Выпускники Школы-студии
МХАТ Вячеслав Невинный и Михаил Ефремов.
1993 год. Фото — Владимир Вяткин. РИА Новости

Фирменная полуулыбка. 2001 год.
Фото — Алексей Куденко. Коммерсантъ

Лето 1988-го в Ялте: Любимов, Додолев, Негода,
Эрнст, Толстиков, Макаревич.
Фото из архива Евгения Додолева

Михаил = отец + сын. 2007 год.
Фото — Алексей Панов. РИА Новости

Алла Борисовна Покровская ушла летом 2019 года, за год до «ДТП на Садовом». Премия «Человек Года 2017» по версии журнала GQ.
Фото — PhotoXpress/East News

Трудно поверить, что до 12 лет Михаил Олегович не признавал Никиту Михайловича.
Фото — Ольга Чумаченко. Коммерсантъ

Никита Ефремов.
Фото — Екатерина Чеснокова. РИА Новости

По версии Дмитрия Диброва – «золотые уши России» (Кругликова) и «золотая печень России» (Ефремов). Из воспоминаний Софьи Кругликовой: «Детей заводить я не очень торопилась… Миша зарабатывал совсем немного… Деятели кинематографии не стояли в очереди, чтобы вписаться в его график занятости. Мало кто решался связаться с артистом, который до конца смены может не додержаться».

2011 год. Фото — Екатерина Чеснокова. РИА Новости

Автору Ефремов как-то сказал: «Я думаю, все-таки
это Ваня [Охлобыстин] отец-герой, потому что
все-таки все дети Ксюшины. А я все-таки отец-
героин, потому что от разных жен дети. От разных.
От разных, но всех — любимых». 2008 год.
Фото — Илья Питалев. РИА Новости

Со старшей сестрой Анастасией Олеговной Ефремовой.
Фото из семейного архива Анастасии Ефремовой

Миша много раз говорил, что, если с кого-то
и брать пример, то вот с Харатьяна. 2003 год.
Фото — Валерий Левитин. Коммерсантъ

Иван Охлобыстин не смог написать предисловие
к этой книге. 2011 год.
Фото — Екатерина Чеснокова. РИА Новости

Не устоять! Актеры Михаил Ефремов и Ксения
Качалина. 2002 год.
Фото — Валерий Левитин. Коммерсантъ

На церемонии закрытия XX Открытого кинофестиваля «Кинотавр» в Сочи. 2009 год.
Фото — Михаил Мордасов. РИА Новости

Равнение на папу? Вечер, посвященный 75-летию актера и режиссера Олега Ефремова в театре «Современник». 2002 год.
Фото — Юрий Мартьянов. Коммерсантъ

частью коллектива. После окончания школы поступила на отделение хорового дирижирования в институте им. М.М. Ипполитова-Иванова, окончила в 1993 году. Далее пела в хоре, пробовала себя в журналистике, некоторое время работала на радио. Затем решила освоить профессию звукорежиссера. Ходила на курсы к известному мастеру в этой сфере — звукорежиссеру Андрею Леонидовичу Субботину, где получила представление о будущей профессии. В 1997 году окончила кафедру звукорежиссуры Российской академии музыки им. Гнесиных. На третьем курсе института записывала на студии группу «Квартал», потом работала с Анатолием Крупновым, который со временем присоединился к Гарику Сукачёву и «Неприкасаемым». «На сегодняшний день звукорежиссура — это не работа, а счастье. Да и не поспоришь: слушаешь музыку, получаешь удовольствие, а тебе за это еще и платят!», — говорила она. До 2004 года Софья работала в различных коммерческих студиях звукорежиссером. В том числе в студии «Турне». Была звукорежиссером на «Нашем радио».

Участвовала в конкурсе звукорежиссеров им. Бабушкина в качестве члена жюри. С 2005 года начала преподавательскую деятельность на кафедре музыкальной звукорежиссуры РАМ им. Гнесиных. В 2009 году ее пригласили преподавать в Институт современного искусства в Москве — там она ведет занятия по «Звукорежиссуре» и «Слуховому анализу фонограмм». Проводит мастер-классы по звукорежиссуре. Личная жизнь Софьи Кругликовой: дважды была замужем. Первый муж — Режис, француз. Она жила с ним в Париже. «Он не пил, дарил цветы каждый день, бегал за круассанами по утрам», — рассказывала она, добавляя, что француз ей быстро наскучил.

Они познакомились на студии звукозаписи — Кругликова была звукорежиссером на студии Андрея Борисовича Пастернака «Турне» в Центральном доме актера, где часто бывал Ефремов. «Не буду врать, утверждая, что я влюбилась в Мишу с первого взгляда. Мне было очень симпатично это существо с широкой душой, грустными глазами и мощным фундаментом семейных традиций. Так что принять все как есть, не стремясь прекратить разрушение внешнего и внутреннего мира этого прекрасного человека, я не могла», — вспоминала Софья. Их знакомство постепенно переросло в отношения. «В ноябре 2002 года Ефремов справлял в "Маяке" свой день рождения. Миша в третий раз, как в доброй русской сказке, подошел и спросил: — Ну что, выйдешь за меня замуж? — Да, — снова ответила я. И он уже не отошел», — делилась Софья. На тот момент она состояла в браке. По ее словам, Михаил внешне очень проигрывал ее первому супругу. Но смог завоевать Софью своим напором. Какое-то время жили гражданским браком, потом оформили официальный. У пары родилось трое детей — дочери Вера (2005) и Надежда (2007), а также сын Борис (2010).

Как считает Кругликова — она именно та женщина, которая нужна Михаилу Ефремову, поскольку смогла стать ему не только женой, но и своего рода наставником.

«Почему я считаю, что Ефремов всю жизнь ждал именно меня? Отчасти оттого, что его мама — народная артистка России, известный педагог Школы-студии МХАТ Алла Борисовна Покровская — всегда старалась держать сына в узде. Он, похоже, бессознательно искал подругу, которая сумела бы задать для него жесткие рамки. Порой я увлекаюсь, и Миша говорит: "Эй, педагог, хорош меня учить", — отмечала она.

В мае 2016 года Софья Кругликова и Михаил Ефремов обвенчались. Актер Иван Охлобыстин выступал на таинстве в качестве свидетеля. Церемония состоялась в одной из московских церквей.

Михаил Ефремов известен своей склонностью к спиртному. Но, по словам Софьи, ей не очень трудно жить с таким человеком:

«Я с ЭТИМ справляюсь. Так как я совсем и никогда не пью, не употребляю транквилизаторы, средства, которые воздействуют на организм, и веду здоровый образ жизни, то мне это сделать легче — жить с противоположностью... Я стараюсь прикрыть Мишину наготу от детей и врагов в буквальном и переносном смысле. Зачем давать кому-либо возможность тыкать в него пальцем: король-то голый? Пусть все видят его прекрасным, достойным», — говорила она о своей миссии в семье.

Вечером 8 июня 2020 года Ефремов устроил смертельное ДТП в районе Смоленской площади в Москве. Автомобиль актера вылетел на встречную полосу и столкнулся с небольшим фургоном. Водитель фургона, 57-летний уроженец Рязани Сергей Захаров, скончался. Сам актер практически не пострадал. Ефремова задержали, экспертиза показала наличие алкоголя в крови. В отношении Михаила Ефремова возбудили уголовное дело по части 2 статьи 264 УК РФ («Нарушение правил дорожного движения и эксплуатации транспортных средств»), однако затем переквалифицировали на пункт «а» части 4 статьи 264 («Нарушение правил дорожного движения и эксплуатации транспортных средств, повлекшее по неосторожности смерть человека, совершенное лицом, находящимся в состоянии опьянения»). Ему грозит до 12 лет лишения свободы.

Как заявила Софья после ДТП, она узнала об аварии от журналистов. При этом женщина предположила, что Ефремов мог выпить снотворное и «забыться» — где был и с кем пил.

МИФ ИЛИ ЛЕГЕНДА?

Тут фрагмент нашей беседы в прямом эфире (2013).

Ты следишь за трендами?

— Ну, если я назвал свое 50-летие «Запой», конечно, я слежу за трендами.

Ну, знаешь, ты сам трендообразующий тогда, скажем так.

— Нет, я не трендообразующий. Это от лени. Это от вашей журналистской лени. Нашли себе темочку, вот ее и разрабатываете уже сколько лет.

Ну Миш, ты же поводы даешь.

— Ничего подобного. Никаких поводов. Все — шутка. Вас накололи.

Ха-ха... Да я помню с Охлобыстиным Иваном на «Кинотавре» ты та-а-ак зажигал.

— Не с Охлобыстиным, а с **Башировым Александром Николаевичем**...

NB *Из интервью Ивана Охлобыстина (2020): «Михаил Олегович мне родственник, кум, крестный старшей дочери Анфисы. Я знаю его 30 лет, столько же Гарика Сукачёва и Диму Харатьяна. Мы лучшие друзья. Но никто из нас никогда с ним не выпивал. Мы еще удивлялись. Все, в принципе, пьющие в той или иной степени, но вместе — не случалось... Мистика. Но так и было». Из интервью Софьи Кругликовой (2014): «Сам Миша никого ни о чем не просит. Хотя случись что, у него есть друзья, которые ничтоже сумняшеся подставят плечо: Никита Высоцкий, Андрей Васильев, Вася Мищенко, Миша Горевой, Женя Митта, Серёжа Шеховцов, Леша Ткачёв, Таурас Чижас... Ефремов — искренний и верный друг. И друзья у него такие же честные, редкие люди. Ну и кому какое дело, что они, бывает, выпивают? Суть их дружбы не в пьянстве, а в открытом сердечном обожании друг друга».*

Ну, может быть, мы развеем, если ты считаешь, что это миф, сказ о пьянстве российских актеров.

— Это не миф. Это красивая легенда. Ну, как нет дыма без огня. Да, конечно. Но все-таки сейчас это уже не в тренде среди молодых артистов. Самый молодой среди пьющих артистов, ну, как

бы таких, я имею в виду «медийно-пьющих» артистов, — **Леша Панин**. А ему уже за тридцать.

Вот Панин-то поводы дает покруче тебя.

— Ну, а может, он специально эти поводы дает. Увидел камеру скрытого наблюдения, раз,
два — повод дал.

*Актеры должны видеть камеры. Ты же ви-
дишь камеры и чувствуешь.*

— Поэтому мало записей со мной на YouTube,
почти нет.

*Многие коллеги твои берутся за мемуары.
Как, в принципе, относишься к этой теме?*

— Я не умею писать.

*Да, не все, Миш, кто издает мемуары, уме-
ют писать, они, главное, умеют рассказывать.*

— Ну, так неудобняк. Я про себя не очень
умею рассказывать. Это есть какой-то набор историй. Там их тридцать пять.

Это у всех так. Тридцать пять — сорок историй.
Когда ты неожиданно где-то вспоминаешь: «А вот
еще мы там ходили тогда в Сочи» или «А вот, помнится, я был в Германии». Ну, вот такие истории,
они есть у всех. Ну, это такие сборники историй
о, там, **Несчастливцеве**, там, о **Счастливцеве**.

Ну, а самому писать, ну, я не знаю, наверное,
еще рано. Я все-таки человек энергичный. И еще
чего-то я поделаю на сцене.

*Нет, ну вот Кончаловский свои знамени-
тые мемуары начал писать как раз, когда*

полвека отжил, и этот багаж нажитый он-то и стал описывать. Вот как ты относишься к жанру мемуаров?

— Да относительно ко мне — никак. Я могу даже себе представить, как я уехал куда-нибудь, сел за письменный стол и стал писать. Но я уверен, что я напишу полстраницы или, там, лист, начну перечитывать, увижу, что мысль какая-то была, не вставил, а это вот плохо сформулировано и все такое прочее.

По-другому сформулирую. Дело не в технологии. Я пытаюсь понять твое отношение: имеет ли право, допустим, такой человек, как ты, — с известной родословной, с насыщенной биографией (у тебя было много всяких приключений) — право на собственную биографию? Потому что масса людей, ну, я не знаю, допустим, Наташа Негода, еще кто-нибудь, которые были задействованы так или иначе в твоей биографии, должны быть упомянуты в твоих мемуарах.

— Да нет, я думаю, нет. Во всяком случае, я бы не стал.

А ты Кончаловского читал, его мемуары?

— Не могу сказать, что с огромным интересом. Но читал.

Осуждаешь?

— Не осуждаю, но как-то странно мне.

Да и кто я такой, чтобы осуждать Андрея Сергеевича Кончаловского? Андрей Сергеевич — великий кинорежиссер.

Марка Рудинштейна ты читал, где, кстати, описаны и твои «кинотаврические» похождения?

— Да, это я читал. Я читал, потому что это читали все. И то, и другое. Ну, это некрасиво, конечно. Но это не мое дело.

АЛЕКСЕЙ ПАНИН
ПРО «СТАРШЕГО ТОВАРИЩА»

Мне Александр Ширвиндт как-то жаловался, что если раньше проблема была вылечить актера от алкоголизма, то «сейчас такая пошла театральная молодежь, что выпить не с кем»...

«В июне 2020 года пресс-секретарь российского президента, комментируя аварию с участием Ефремова, назвал ситуацию чудовищной вне зависимости от того, кто виноват в смерти человека, — обычный гражданин или такой прославленный артист, как Михаил Ефремов. Песков напомнил, что позволять себе садиться за руль пьяным не должен никто. **Алёна Водонаева** была куда резче:

"Фу, как противно от новости про Ефремова, это просто чудовищно, это не поддается никако-

*му объяснению. Ну ладно, ты хочешь сдохнуть…
Но ты подвергаешь риску жизни других людей…
Я считаю, что люди, которые садятся за руль
в нетрезвом состоянии, — просто исчадья ада".*

Алексей Панин, узнав об этих высказываниях, дал резкий ответ Водонаевой и Пескову, записав видео:

— Сейчас всякие типа Алёны Водонаевой высказываются по поводу ситуации, в которую попал Ефремов. Да, Миша, наверное, не должен был садиться за руль пьяным. Но Мишу нельзя сажать в тюрьму, и никакие типа Алёны Водонаевой поганый рот свой не должны открывать. Теперь еще и Песков комментирует Ефремова. Вы забыли, как вы ему награды давали? Не дай Бог, если бы на месте Миши оказался Безруков, Хабенский — эти путинские, этого вопроса, сидеть в тюрьме или нет, не было бы.

Из моей беседы с Паниным, что состоялась накануне отъезда актера в Испанию; тогда, летом прошлого года, процесс по «Делу Ефремова» был в самом разгаре.

Вы хулиган и дебошир?

— Нет. Это все средства массовой информации, СМИ желтые. Вот, я понимаю, о чем вы говорите — дебош в самолете. Дебоша не было. Мы видим какие-то фотографии. Ну, подождите. Если я дебоширил, ну, почему же все сняли, как я выхожу из самолета, а как дебоширил-то, ой, не сняли?

У меня дочка, когда это все читает, она смеется. Потому что она очень часто бывает рядом. Мы вылетали из Симферополя с **Нюсей**. Я боюсь этих самолетов, хотя всю жизнь на них летаю. Выпиваю. А здесь даже и не пьяный-то особо был. Так, чуть-чуть мы винца выпили. И Нюся сидит, в окно смотрит. А мы на рулежку вот даже еще не выехали, вот только двери закрыли. Она говорит: «Пап, так улетать не хочется». А мне тоже не хотелось. Вот у нас еще друзья в Симферополе остались. Я девчонок зову, стюардесс, и говорю: «Слушайте, можно мы выйдем» Они говорят: «А, ну, чего? Прямо приспичило?» Я говорю: «Ну, пожалуйста». Они: «Ну, мы обязаны доложить типа в милицию. Потому если мы уже двери закрыли». А самолет, надо заметить, опоздал на полтора часа. И авиакомпании очень удачно списать этот дебош на какого-нибудь. А тут Панин подвернулся — идиот: «А давайте я выйду». И они повесили все на меня. Они и так должны были уже там оплатить людям какие-то пересадки пропущенные.

И вышел этот второй пилот. Или нет, командир корабля. Он подошел и мне говорит: «Алексей, какие-то проблемы?» Я говорю: «Нет, ну, пожалуйста». Он говорит: «Да, пожалуйста». Я говорю: «У вас нет претензий?» — «Нет претензий». Мы вышли. Ребята-менты нас отвели к себе. Мы написали заявление. Они купили Нюсе мороженое и отвели нас на такси. Все. Никакого дебоша. Но на следующий день все заголовки: «Алексей Панин устроил дебош в самолете».

Ну, это хороший такой пример, который показывает на самом деле, что равенства нету. Потому что понятно, что если это был бы обычный пассажир, не «человек с лицом», не артист, то его бы просто послали с этой просьбой. Вы же понимаете, да?

— Может быть, да, не знаю. Я клянусь, честное слово, вот хотите верьте, хотите не верьте, «звездочку» все ловили. Период звездной болезни Алексея «я артист, дайте мне там что-то», давно уже прошел, и вообще никому ничего не доказываю.

Так у вас уже это на автопилоте, просто по умолчанию. Вы же понимаете, что на вас реагируют, осознаете, что привлекаете внимание, что идут навстречу в каких-то вещах.

— Нет, это, безусловно, приятно. Но никаких вот этих вот, как пресса любит преподать, вообще абсолютно этого нет: «Я — артист. Дайте мне то». Да, вообще все по-другому в моей жизни.

Михаил Олегович как бы тоже артист, и вот попал в такую ситуацию.

— Да, все садились за руль пьяными. Ну, не все, но многие, многие.

Когда вы говорите «все», имеете в виду свое окружение, богему? Или прямо всех-всех?

— Понимаете, Михаил Олегович — мой старший, так сказать, товарищ. Я не причисляю себя к близкому кругу его друзей, как **Дима Харатьян, Гарик Сукачёв, Ваня Охлобыстин**. Миша старше меня. И у нас с ним, как мне кажется, очень теплые отношения, хотя и не самые близкие.

Мое отношение к нему безоговорочно просто — он великий артист. И было очень много случаев, когда я еще снимался в кино много, и когда меня часто приглашали, я выходил на съемочную площадку и говорил: «Знаете, ребята, вы ошиблись. Это должен был играть Михаил Олегович Ефремов». И такое я говорил, как минимум, в своей жизни раз десять.

КАРЕН ШАХНАЗАРОВ
ПРО МИХАИЛА ЕФРЕМОВА
И АЛЕКСЕЯ ПАНИНА

Вспоминал обоих актеров-скандалистов в беседе с режиссером + ТВ-экспертом Шахназаровым.

Как относитесь к ситуации с Ефремовым?

— О, я вообще не комментирую это дело просто потому, что я **Михаила** хорошо знал с детства. Ну, дай Бог, ему, конечно. Эта ситуация отвратительная, что говорить.

Вы поддерживаете его?

Ну, я не понимаю, как можно Михаила в этой ситуации поддерживать. Я даже не понимаю, как он может сам себя поддерживать.

В этой ситуации ему надо было бы, на мой взгляд, повиниться. Сказать, простите, да, я виноват.

Это ужасно — убить человека. Причем, понятно, бывает случайность. Но мы же знаем ситуацию. Поэтому я, если хотите, сочувствую по-человечески в силу того, что я его знаю с малых лет, но, конечно, его поступок оправдан быть не может.

Беседовали об этом с Алексеем Паниным. И он сказал, отвечая на этот вопрос, что все пьют за рулем. Имея в виду, видимо, все-таки ваш цех кинематографический.

— Панин. Моральный большой авторитет.

Я не знаю. Господин Панин, видимо, не только пьет за рулем, но и делает массу другого, чего не надо делать. Это вообще не пример. Господин Панин, на мой взгляд, совершенно разложившаяся фигура.

ПРАВО НА БИОГРАФИЮ

Про самый известный из ефремовских проектов тоже говорили в студии канала «Москва 24».

Я беседовал с Андреем Васильевым — продюсером вашего совместного проекта «Господин хороший». И как у профи матерого спросил, какой бы вопрос он — в качестве журналиста — задал Михаилу Ефремову, который персонифицирует этот проект.

— Он на пенсии как журналист, я просто предупреждаю. Медиа-менеджер прошлого десятилетия.

Прошлого столетия даже, я сказал бы. Но с опытом. Опыт-то не пропьешь. Так вот, вопрос, на самом деле очень правильный: насчет того, что не боишься ли ты, что настолько сольешься с этим самым проектом, что перестанешь быть актером, что тебя попросту перестанут приглашать режиссеры? Потому что бренд «Михаил Ефремов» будет ассоциироваться исключительно с «Господином хоро-

шим», с «*Гражданином поэтом*». *Не политическая мотивация здесь, нет, а вот просто приклеится к тебе вот эта вот маска.*

— Ну, «Гражданин поэт» же не приклеился.

Фактически это ведь один и тот же проект.

— Это разные проекты. Все-таки больше от себя я работал в проекте «Гражданин поэт». Было больше, скажем так, интеллектуальной какой-то работы. А в «Господине хорошем» больше, скажу, хулиганства. И, что очень радует, много разных жанров и много разных персонажей.

Помню, делали номер по жанру «Христарадина» от моего же имени, по поводу переаттестации артистов, поэтов, творческих профессий каждые пять лет. Ну, я же вот там — один раз, а все остальное-то я же — в разных персонажах. А если привыкну, ну, что поделаешь… Буду, значит, до гробовой доски господитьхорошить и гражданинпоэтить.

А тебе когда-нибудь предлагали роли, которые ты не принимал нутром? Чувствовал, что это не твое, но ты вписывался в них из-за денег, допустим? Или из-за возможности сняться у хорошего режиссера?

— Ну, скажем так, из-за денег вписываешься во все.

А хотел всегда сыграть такого брутального… Но это не мое совершенно. Я все-таки шпентик как бы с детства. Всегда стоял в конце класса, ну, вот по росту.

Неужели? Какой у тебя сейчас рост, кстати?

— Сто семьдесят пять. У меня и рост не маленький. Может быть, я какой-то невыдержанный, какой-то расхристанный, развинченный... Поэтому мне не удается. Но хотелось чего-то такого сурового, с малым движением. Я в каких-то фильмах, может быть, даже и пытался это делать. Но если мне сразу не говорят, что «ох!»... Хотя есть люди, которым те фильмы нравятся, но их не так много. Как, например, «День выборов» или «Бешеная балерина».

Я думаю, это потому, что ты сориентирован на свою микросреду, а не на массовую аудиторию. Вряд ли ты хорошо себе представляешь массового зрителя, понимаешь, что он любит, а что нет.

— Почему? Я думаю, что массовый зритель любит все хорошее. А все плохое не любит. Как и любой.

Ну а что это такое — хорошее?

— А это уж как я сойдусь со зрителем, как он меня прочувствует. И если у меня будет, как мне кажется, действие, как учили, действие правильное, то все остальное приложится: от себя пойду, как можно дальше по правильному действию, то все будет хорошо.

Сам в кино — в качестве зрителя — не очень ходишь?

— Я в кино не очень хожу в последнее время, да и вообще...

Ну как, я с детьми хожу. Но это тоже редко бывает, к сожалению.

А почему? Внимание толпы?

— Да нет. Кепочку можно надеть. Это не самая большая проблема в жизни. А потом еще же есть фишка с мобильным телефоном, когда ты все время идешь и как бы по телефону разговариваешь и людям неудобно тебя отвлекать.

«ДЕТИШКИ»

Ну, Охлобыстину-то (он мне рассказывал) дети просто подарили курточку с таким огромным капюшоном, специально для походов в кино. А расскажи про детишек своих.

— Хм, «детишек». У меня уже два взрослых дядьки старшие.

Но все равно же для тебя детишки. У тебя дочери же еще?

— Да, потом пошли дочери. Анна-Мария, Вера, Надя. И Боря, самый маленький, — Борис Михайлович.

NB *Первенец Никита Ефремов (1988), от жены №2 — в прошлом литературного редактора в московском театре «Современник» Асии Робертовны Бикмухаметовой, ранее — второй жены Антона Табакова. Второй сын Николай Ефремов (1991), от третьей жены — народной артистки Российской Федерации Евгении Владимировны*

Добровольской; тоже актер. Анна-Мария (2000) от жены №4 Ксении Качалиной, актрисы, дебютировавшей в «первой ленте свободного российского кино» «Нелюбовь» по сценарию Ренаты Литвиновой (1992). И трое (Вера, Надежда, Борис) от Софьи Кругликовой, звукорежиссера, преподавателя Института современного искусства.

Слушай, я даже не знал, что у вас с Охлобыстиным, значит, одинаковое число наследников?

— Да, у меня шесть, и у него шесть, по-моему.

Ух ты! То есть вы такие прямо реально многодетные, по-восточному! По три дочери, по три сына. Круто, завидую. Ну что сказать? Ты отец-герой. Вот как это называется.

— Я думаю, все-таки это Ваня отец-герой, потому что все-таки все дети **Ксюшины**. А я все-таки отец-героин, потому что от разных жен дети. От разных.

От разных, но всех — любимых.

NB *Оксана Владимировна Арбузова родилась 24 апреля 1973. Широкая известность пришла с главной ролью Аварии в молодежной драме 1989 года «Авария — дочь мента». В 1995 году окончила ВГИК (курс Сергея Соловьёва). Жена режиссера, сценариста и актера Ивана Охлобы-*

стина, который с 2001 года был священником Русской православной церкви (соответственно Оксана — матушка Ксения).

Понятно. Ну, сыновья-то — они уже определились с выбором по жизни?

— Сыновья, да, по-моему. Ну, старший-то точно определился. У младшего могут быть еще какие-то выборы. Но все равно он снимается, понимает в этом что-то. Так что ему надо только образование настоящее получить.

А надо ли?

— Надо. Образование вообще надо. Потому что образование и воспитание — очень рядом. Чем больше образования, тем лучше: даже человек самовоспитываться как-то, может быть, от образования начинает. А с воспитанием и образованием, как раз вот с этим-то, и с культурой — вот с этим со всем у нас полный швах. Вот полных швах!

Произнося «у нас», ты имеешь в виду свое семейство или говоришь о стране в целом?

— Поскольку я «господин хороший», я говорю в целом о стране, конечно.

Понятно. Давай закончим тему про наследниц, про девочек тогда. Они-то кем будут? Кем ты их видишь? Это будет шоу-бизнес?

— Я не хочу говорить, куда именно пойдут, но я надеюсь, что они станут учеными, банкиршами.

???

— Я думаю, что банкиры и экономисты — тоже ученые все-таки. Если бы все это понимали, как ученые, банкиры и экономисты, то, может быть, не было бы и кризисов. А так ведь никто же не понимает ничего. И куда-то в разные стороны деньги зашвыривают, наверное.

Но, с другой стороны, поскольку и Маша, и Вера, и Надя выходили на сцену, то я думаю, что они уже отравлены. Анна-Мария, она пишет. У нее увлечения писательские. Надежда моя на то, что, может быть, Наденька будет танцевать, а Вера будет музыкантом (сквозь слезы, но занимается на фортепиано). Такие надежды есть…

Почему «сквозь слезы»? Заставляете?

— Я нет. Но мама… Ну, не то, что заставляет, но… заставляет.

Из интервью Софьи Кругликовой (2014):

«В свое время в музыкальной школе Миша продержался лишь год, может сыграть на фортепиано начало "Лунной сонаты", а потом уходит в буйную импровизацию. Я над ним посмеивалась, а Вера, пока не пошла учиться музыке, говорила: "Папа, как ты круто играешь!" Сейчас, когда Миша садится за инструмент, мы смеемся вместе с ней, зато теперь Надежда восхищается: "Папа, как здорово!" Вот такой круговорот достижений в природе. Миша не му-

*зыкант, и здесь планка для детей легкопреодо-
лимая. Посмотрим, когда они смогут догнать
его по знаниям истории и литературы, ха-ха!».*

**А тебя родители заставляли что-то де-
лать?**

— У меня мама — демократичный человек.
Она меня воспитывала так: иногда даст подза-
тыльник, но не более того, и то, так просто, оттого, что у нее, может, настроение не очень. А так —
она меня не отдала ни в музыку, ни в танцы.

Была у них, впрочем, попытка, у родителей…
Было у них желание, чтобы я выучил английский
язык. Ну, чтобы быть человеком мира.

Сниматься в Голливуде?

— Сниматься в Голливуде. Ничего не вышло,
хотя действительно я занимался класса, наверное,
до четвертого — до пятого. Помимо того, что в школе учил, еще у меня был и преподаватель. И надо
сказать, дней через пять — через шесть, когда за
границей находишься и понимаешь, что надо уже
что-то говорить, откуда-то всплывает чего-то.

**Маму упомянул, а папу — нет. А я о чем
подумал? Что ты и Антон Табаков удивитель-
ным образом похожи на своих знаменитых отцов внешне.**

— Ну, я думаю, не только мы с Антоном. Я думаю, еще масса есть примеров. Если даже из артистов: я **Киру Козакова** назову — тоже очень-очень.

Похож, да. Но все-таки не в такой степени, в какой ты на своего — Олега Ефремова.

— Мне очень сложно себя со стороны оценивать. Я знаю, что с детства, лет с тринадцати-четырнадцати у меня получалось показывать папу.

Я даже где-то показывал Олега Николаевича. Я помню, что он, когда первый раз стал его показывать (это как раз была первая свадьба Антона), он там чего-то смеялся, потом говорит: «А кто это?». То есть я понял, что со стороны человеку очень трудно себя увидеть.

И вот уже давно его с нами нет, но вот это иногда во мне. Чувствую.

Смотрят дети твои фильмы с участием дедушки?

— Ну, «Айболит-66», конечно, смотрели. «Король-олень» мама показывает. Но сейчас же дети... ну, надо им вкачать в iPad'ы — это называется. Они же другая эпоха.

А твой основной проект они отсматривали — «Господин хороший»?

— Сыновья отсматривали. Но они туда и приходили, на выступления. У нас была такая задумка — вызвать детей.

На сцену?

— Нет, не на сцену. В проект «Господин хороший». Там они у нас сидели за столиком и отвечали на каверзные вопросы своих родителей. Но так, смотрят ли — я, честно говоря, не знаю.

Никита играл вместе со своей бабушкой, с моей мамой. Очень интересная пьеса «4000 миль» американского драматурга *(Эми Герцог. — **Е.Д.**).* Они репетировали это все в театре «Современник», на другой сцене, на Малой. Режиссер **Михаил Али-Хусейн**. Пьеса очень интересная.

«ГОСПОДИН ХОРОШИЙ»

А как-то в семье обсуждали проект «Господин хороший»? Поскольку он, в общем-то, ну, то, что называется злободневный, актуальный. Или вы про работу не разговариваете в семье?

— Ну как? Я не думаю, чтобы Олег Николаевич это обсуждал. «Хулиганы, — сказал бы, — дураки вы все». А маме я звонил после каждого эфира. Она мне говорит, что и как.

Она же переживает, она очень сильно переживает. Когда мы давным-давно вместе репетировали спектакль «Привидение» в театре «Современник» (и у нее главная роль, ну и у меня тоже), она настолько нервничала, как сыграю я, что практически забыла о себе.

Ну, то есть она тебя консультирует исключительно по профессии? То есть политические аспекты вы не обсуждаете?

— Как не обсуждаем? Она позвонила Андрею Васильеву, когда начался еще «Гражданин поэт»: «Андрей, а Мишу не посадят?» На что «Вася» сказал: «А кто же его посадит-то? Он же Лермонтов».
Отлично!

— Это действительно у нее есть. Она же все-таки «шестидесятник» настоящий. У нее подружка **Лия Меджидовна Ахеджакова**. С подачи мамы моей я пошел на суд над **Ходорковским**. Потому что она туда сходила и говорит, мол, ты знаешь, это историческое дело, это надо посмотреть, чтобы понять машину, которая снова, ну, как бы возникла.

NB *Через месяц после трагедии на Садовом Ахеджакова высказалась относительно заявления Михаила о том, что он просто клоун, который читает оппозиционные стишки за деньги и вообще не может быть против Путина, потому что Путин кормит всех людей культуры:*
«Это интерпретация. А цель заявления в том, что Миша хотел себя этим как-то отделить от оппозиции, чтобы прекратить эти подлые пропагандистские обобщения: мол, "эти богемные пьяные оппозиционеры на машинах сбивают людей, а их отмазывают". Мишино дело настолько страшное, что там нужно крайне тщательно разбираться. А уже наделана масса ошибок! Например, эксперты в первую же мину-

ту должны были осмотреть машину и немедленно все запротоколировать, но этого не было сделано. Я знаю, что и Орлуша (поэт Андрей Орлов) предлагал адвоката, и Виктор Ануфриев, адвокат Юрия Дмитриева, мне сразу позвонил и предложил защищать Мишу... Этих ребят — Андрея Орлова, Андрея Васильева и Мишу Ефремова — я узнала, когда им было от 10 до 13 лет. Я с ними снималась в Ялте, и так они в моей жизни и остались. Благодаря маленькому Мише я познакомилась с Аллочкой, его мамой, и она стала моей самой любимой подругой, и с Олегом Николаевичем, которого я тоже очень любила. Но мне кажется, и тут я прислушиваюсь к порядочным и умным людям, которые независимо расследуют и вникают в это происшествие... Там есть какие-то очень важные детали — и сейчас я склоняюсь к тому, что у этого дела есть режиссер... Потому что были эти проекты "Господин хороший", "Гражданин поэт", "Господин заразный", которые Миша делал блистательно. Это блистательные тексты Быкова и Орлуши, но их читает потрясающий артист с изумительным чувством юмора — Миша. И от этого они стреляют еще сильней. Никакая речь на митинге не может сравниться с силой этих текстов, которые с таким талантом произносит Миша. И это тянет на то, чтобы им заинтересовались определенные люди, кото-

рые обслуживают идеологию... И Дмитрию Быкову, который пишет и о победобесии, и об этом
обнулении, теперь за руль нельзя садиться. Ни
в коем случае. Ни трезвому, ни пьяному. А его
"Жигули" ему надо поменять на какую-нибудь
более мощную машину, чтоб там были система
безопасности и черный ящик. Это я, конечно,
шучу, но во всякой шутке есть доля некоторого
страха, который на меня нападает в последнее
время. Я и сама боюсь за руль садиться теперь».

Я обсуждал потом интервью Ахеджаковой
с Макаревичем, заметив, что актриса предупре-
дила — и моему собеседнику, и Юрию Шевчуку
надо быть очень осторожным, потому что
с ними может произойти то же самое, что
с Ефремовым. Андрей Вадимович мне ответил:
«Ну, я могу и про нее сказать то же самое, наверное... Я вожу машину, когда у меня есть желание. И когда трезвый. А по пробкам москов-
ским каждый день, конечно, я с водителем езжу.
Потому что я успеваю гораздо больше сделать».
Ну, не удержался и уточнил: «А вообще отношение ко всей вот этой истории, которая произошла
с Михаилом Олеговичем?». Реакция Макаревича
предсказуема: «Ужасная история, слушай. Мне
так противно, что это так обсуждалось,
и столько сволочей в этом участвовало. Вот
просто».

А как ты считаешь, Миш, богема всегда настроена на фронду?

— Это вот то, что я говорил об образовании и воспитании. Чем больше начинаешь образовываться, тем более сложно все воспринимаешь.

А когда воспринимаешь все сложно, мир для тебя не черно-белый, а какой-то сложный, филоновский, скажем, то, конечно, ты не будешь радоваться тому, что видишь в простых каких-то таких и достаточно подлых делах, которые творит власть в любой стране и в любое время.

Это у нее такая обязанность — вредить людям.

Везде и всегда так было.

— Да-да, я это прекрасно понимаю.

Тем не менее мне кажется, что у нас многие люди из твоей, скажем, среды, из среды богемы, они, если, допустим, думают иначе, не в основном тренде, в оппозиционном, они даже не решаются эти вещи озвучивать, потому что среда их будет осуждать. У тебя нет такого ощущения?

— Не знаю, нет. Назови хоть кого-нибудь.

Ну что же я человека буду компрометировать?

— А я начинаю думать и не вижу, не могу сказать. Для меня **Федя Бондарчук** не перестал быть братским сердцем. Совершенно нет. **Сан Саныч Карелин** — прекрасный, и **Слава Фетисов**. Прекрасные спортсмены. И я горд, что я с ними знаком. И они не перестают быть друзьями оттого, что они при власти и все такое.

Я понимаю, что, если мы сядем и начнем говорить об этом с ними, мы, может быть, и не найдем точек соприкосновения. Но я не думаю, что мы уж такие дураки, чтобы по поводу политики разойтись.

Это как в спектакле «Так победим!», который когда-то поставил Олег Николаевич Ефремов, и пришло все Политбюро ЦК КПСС на этот спектакль.

Там **Ленин** как раз говорил кому-то из левых эсеров: «Если я рву политически, я рву и лично».

NB *Отвечая как-то на вопрос «Когда Михаил Пореченков из пулемета пострелял, что вы о нем подумали?», Ефремов резонно заметил: «О Мише? Ничего не подумал. Я Мишу знаю хорошо и не думаю, что там действительно бежали украинцы, и он по ним стрелял. Это раздуто все, и наибольшая вина за тот случай лежит, конечно, на медиа-товарищах. Это вина тех, кто дал ему эту каску, тех, кто пригласил его на боевые позиции. Вы поймите: когда человек приезжает из одной жизни в совершенно другую, он может не сразу сообразить, как себя вести правильно».*

Театром Эстрады, где вы, кстати, выступали с «Господином хорошим», руководит доверенное лицо Путина, общественный деятель Геннадий Викторович Хазанов. Это тоже к нашему разговору о политических каких-то разногласиях.

— Но это же, по-моему, детство уже.

Не знаю, Васильев в разговоре со мной все время пытался вывести на тему, что на самом деле «Господин хороший» — пропутинский проект.

— Конечно, конечно, конечно.

Мы идем — это старый театральный ход, — идем от обратного.

Театр театром, но ты любишь спорт?

— Я болел. Я играл раньше в футбол немножко даже. Ну, как играл? По субботам с пацанами. В этом смысле.

Просто ведь, помню, ездил в Лондон смотреть игру.

— Ну, это вышла оказия. Как не поехать? Андрей Витальевич Васильев отдал там учиться свою дочь **Варю**. И у него там есть место, где можно тормознуться, что называется.

В городе Лондонске?

— Да. Потом с **Никитой Владимировичем Высоцким** мы подумали, что давненько мы не зажигали. И поехали в Лондон. Дней на пять. Там пьется по-другому. Мы там день рождения мой отпраздновали.

Там была **Галина Борисовна Волчек**, с которой мы встретились в ложе на футболе «Челси» — «Манчестер». «Манчестер» проиграл 1:0. Ну, это было несколько лет назад. Это не сейчас. Это не недавняя история. Просто тогда я был второй раз в Лондоне. Тогда мы были с Никитой такие абсолютно «мы же свободные!», хотим — туда идем, хотим — сюда. Нам не надо куда-то там спешить. Ну, не по делу были, а вот так, отдохнуть. В этом смысле это здорово.

А у тебя вообще плотный график? То есть ты занят без выходных?

— Сейчас совсем стало тяжело выкраивать где-нибудь неделю, чтобы уехать. Когда остается на неделе три-четыре дня. И куда их деть? На то, чтобы в кино пойти, или на то, чтобы в театр, или на то, чтобы поехать куда-то чего-нибудь где-нибудь «срубить», или все-таки отдохнуть?

И выбор всегда делается…

— И выбор — на «рубку леса».

Да, помню твое замечательное: «Мы — люди честные, наша главная задача — в том, чтобы зрители не скучали. Наша сила в правде, и наша триада — свобода, любовь и бабло — продолжает действовать на народное благо».

АЛЛА БОРИСОВНА ПОКРОВСКАЯ, МАМА

Жена Михаила Софья в одном из интервью отметила: *«Свекровь — человек верующий, а где дети, там и Бог. Алла Борисовна еще эмоциональнее Миши: сначала вспыхивает, а потом быстро остывает. В итоге сегодня мы одна семья. Дети часто и с удовольствием общаются с бабушкой. Не каждому ребенку дано послушать сказки в исполнении народной артистки России. Живой звук, знаете ли, живая эмоция. Алла Борисовна с радостью ходит с детьми и на спектакли, сохраняя тем самым дух семьи, ее традиции».*

Алла Борисовна Покровская ушла из жизни летом 2019 года, через два дня после того, как я записал интервью с ее прославленным сыном для проекта «Важная персона» (воспроизведено ниже, в конце настоящего раздела) и за год до ДТП, разрушившего его карьеру. Она сама крайне неохотно шла на контакт с журналистами и мне ни разу не довелось с ней поговорить, поэтому процитирую здесь небольшой фрагмент беседы, напечатанной в 2003 году в «Театральной афише».

Алла Борисовна, расскажите, пожалуйста, подробнее о работе в Америке.

— У Школы-студии МХАТ есть две «американские» программы. Первая, если можно так сказать, «Гарвардская», осуществляется совместно с Бостонским репертуарным театром — по нашему, это аспирантура. Актеры, которые уже имеют опыт работы в театре, поступают в такую аспирантуру на два года. По окончании они получают сертификат, который дает им возможность получать ту или иную зарплату после распределения. Другая программа — это Летняя школа Станиславского, она действует в течение шести летних недель. Туда поступает любой желающий. Мастер-классы в школе ведут Олег Табаков, Михаил Лобанов. Мы, педагоги Школы-студии, ставим с учащимися акты из пьес русских классиков. Это безумно интересно, потому что расширяет личный педагогический кругозор. В то же время понимаешь, что ментальность американцев совершенно иная и преподавание ведется чуть иначе, чем с русскими студентами. Надо сказать, что в Америке очень популярно имя Станиславского, поэтому многие из тех, кто хотят стать актерами, поступают учиться для того, чтобы получить знания из первых рук, от людей, которые сами закончили эту школу. Учеба начинается в девять утра и заканчивается в девять вечера. За шесть недель они воспринимают порой гораздо больше, чем наши студенты — за семестр. Невероятно активная и насыщенная работа! Приезжают они из разных концов Америки. Бывают группы более слабые, бывают более сильные, но иногда попадаются немыслимо одаренные люди! За шесть недель мы стараемся дать им основы, понимание русской системы воспитания и обучения, чтобы они услышали и усвоили, что это такое. Мы используем методы и приемы не только Станиславского, Немировича-Данченко, но и **Михаила Чехова**, в том числе его упражнения. Это имя им хорошо известно, потому что Михаил Чехов жил, работал и преподавал в Америке, в Голливуде, у него учились **Мерилин Монро, Грегори Пек** и многие другие звезды американского кино.

Кто-то из ваших американских студентов уже стал профессиональным актером?

— Конечно. Они очень рвутся в эту Летнюю школу, потому что на наши показы приходят педагоги, актеры и руководство Бостонского репертуарного театра, и отбирают тех, кто им понравился, для их аспирантуры. Для американских студентов это очень престижная учеба.

Алла Борисовна, в «Современнике», в «Вечно живых» Розова вы выходили на сцену вместе с Олегом Ефремовым. Каков он был как режиссер и партнер, что главное запомнилось? И чьей ученицей все-таки вы себя считаете, Станицына или Ефремова?

— Конечно, «школу» я получила в институте. А развитие и становление моей актерской индивидуальности, безусловно, произошло в театре

«Современник» благодаря Олегу Николаевичу и Галине Борисовне Волчек. Возникновение «Современника» было связано с духовным обновлением общества, с обнадеживающими переменами в жизни страны, которые всегда влияют на театр. Мы ведь, учась и работая в студии, находимся в замкнутом пространстве и не очень выглядываем за окно, а жизнь не стоит на месте, и театр-то существует для людей, которые ходят по улицам, а мы были несколько неразвиты в гражданственном, общественном смысле понимания профессии. Вот этот смысл Ефремов для нас и открыл. Я думаю, что Олег Николаевич был выдающимся художественным лидером своего времени. Он понимал профессию не как место для зарабатывания денег или поисков славы, успеха, а как инструмент общественного служения людям, стране. Это было основное для него. Своим собственным неуемным актерским и режиссерским творчеством, которое можно назвать горением, Ефремов показывал нам, что актерская школа Станиславского, которую он глубоко воспринял и развил, — это «вверх, вверх, вверх», это духовное осознание того, с чем и для чего я сегодня выхожу на сцену, с чем и для чего мы делаем этот спектакль, что мы скажем людям. Вот что всегда в «Современнике» было основным и что очень раздвинуло горизонты нашего понимания искусства, жизни и изменений, которые происходили в нашем отечестве. Так что если иметь в виду «Современник», то я абсолютная ученица Олега Николаевича Ефремова. Становление и мое и моих ровесников, пришедших в «Современник» по зову Ефремова, было облегчено тем, что и Ефремов, и мы все заканчивали один институт, все говорили на одном языке. Но в первых же спектаклях молодого театра зазвучала свежая, современная интонация, подсказанная правдой нового времени; эту интонацию сразу же расслышали и приняли зрители.

У корифеев МХАТ были излюбленные рабочие термины. Например, у Немировича-Данченко — «единство жизненного, социального, театрального», у Станиславского — «жизнь человеческого духа». А было ли у Олега Николаевича любимое профессиональное словосочетание?

— Его любимыми словами были: «живой театр». То есть живой, непредсказуемый, непосредственный, «сейчас, сегодня, здесь». Это он сам умел делать великолепно как актер, и мы брали с него пример вплоть до плохого подражания, но ничего страшного в этом не было, это естественно в период становления и труппы, и каждого актера в отдельности.

Вы были женой Олега Ефремова; это было счастье или испытание?

— Это была молодость и его и моя, и это было замечательное время. Мы не так долго были женаты, всего семь лет, это было и счастье и мучение, потому что Олег Николаевич, как и мой отец и моя мать, двадцать четыре часа в сутки отдавал театру, а семьи, в том смысле, как это полагается, конечно, не было, а было все подчинено «Современнику». Поэтому это было достаточно трудно. Были и горькие минуты, и светлые минуты, все было. Как у всех людей.

Муж — главный режиссер, да еще такой необыкновенный, такая грандиозная личность... Это добавляло сложностей вашей работе в театре?

— Я была так молода, что этого не понимала, я только потом сообразила, что я не умела играть роль жены Олега Николаевича, и держалась в тени. Не нарочно, а так подсказывала мне моя натура, поэтому я не могу сказать, что замужество портило отношения с кем-то из моих близких, коллег, партнеров по сцене. По-моему, у меня было лояльное отношение ко всем и всех в театре — ко мне.

Когда Олег Николаевич ушел в МХАТ, он вас звал с собой?

— Нет, он меня не звал, и это было печально, потому что я не разделяла мнение большинства актеров «Современника», что ему нельзя было покидать свой театр. Но из театра я не ушла, потому что боялась и не знала, куда идти и что мне делать. Без «Современника» и Олега Николаевича, вне художественных возможностей именно такого театра я просто не мыслила своей жизни. Когда Ефремов ушел в МХАТ и Галина Борисовна стала главным режиссером, она, видимо, понимая мое состояние, поручала мне очень много ролей. Особенно дороги мне роль Маши в «Эшелоне» М. Рощина и роль Шуры Подрезовой, которую мне поручил Л. Хейфец в «Восточной трибуне» А. Галина. Для меня это любимые роли прошлых лет.

Алла Борисовна, ваш и Олега Николаевича сын Михаил тоже вырос замечательным, очень талантливым актером, невероятно похожим на отца. Недаром Рената Литвинова пригласила его в фильм-возобновление «Небо. Самолет. Девушка», повторивший сюжет известного фильма 60-х годов режиссера Г. Натансона «Еще раз про любовь», в котором стюардессу играла Т. Доронина, а летчика, командира корабля, — О. Ефремов. В новом фильме Михаил повторил ту роль своего отца. Последняя роль Михаила Ефремова в «Современнике», Солёного в «Трех сестрах», — это, наверно, новое слово после великого Ливанова, если говорить об этом образе. Сейчас вы как-то оказываете влияние на сына?

— Нет, я не оказываю влияния, потому что мы находимся всю жизнь в бесконечном споре, но я с радостью наблюдаю, что он взял от своего отца очень много хорошего, и в смысле профессиональном, и в смысле понимания своего места на этой трудной стезе. Но влияния буквального, конечно, никакого нет, хотя я уверена, что подсознательно он всегда чувствует, что я думаю по поводу его работ, и не обязательно это проговаривать словами.

Он советуется с вами, когда начинает новую роль?

— Иногда да, иногда нет. Он уже очень взрослый человек и опытный актер.

Вспомнил про Покровскую, беседуя с руководителем Московского драматического театра имени Пушкина Евгением Писаревым.

Вы, по-моему, были близки с мамой Михаила Олеговича Ефремова.

— Да, **Алла Борисовна Покровская** — мой учитель.

Как вы восприняли историю с Мишей, это ДТП?

— Тяжело про это говорить. Кто-то верно сказал, что в этой аварии погибли два человека. И не очень хочется на эту тему рассуждать, слишком уж активно сейчас в разные стороны ее растаскивают.

Каждому есть что сказать. Для меня здесь вопросов больше, чем ответов.

Вот вы вспомнили Аллу Борисовну... я все последние дни (*лето 2020, процесс по «Делу Ефремова» в разгаре. — Е.Д.*) думаю о ней. Мне кажется, хорошо, что она всего этого не видела.

— А если мы будем говорить не конкретно об этом эпизоде, а вообще о проблеме пьянства... Мне Ширвиндт говорил, что раньше была проблема серьезная, артисты пили. А сейчас он говорит про молодых — выпить не с кем.

— Есть такое. Вот когда я учился, то обожал ездить в общежитие Школы-студии, потому что там постоянно кипела творческая жизнь, но репетировалось все исключительно «под градусом».

Мои сегодняшние студенты — за ЗОЖ. Иногда даже хочется их поругать за что-нибудь подобное, а не за то, за что я их ругаю, — за некоторую отстраненность, холодность, за какое-то безразличие к тому, что было до них. Они ничего не знают.

Вот кто-то радуется, что выросло поколение, которое не знает, кто такой **Ленин**. Я говорю, да, но, к сожалению, выросло поколение, которое уже и не знает, кто такой **Миронов, Янковский, Леонов, Смоктуновский**... И это меня не очень радует.

НИКИТА МИХАЙЛОВИЧ ЕФРЕМОВ, СЫН

Лет пять назад тогдашний главред журнала Елена Кузьменко задумала сделать обложку с Михаилом и заказала мне «подобложечный»

текст. Когда номер вышел, я обнаружил, что в подверстку к моему материалу редакция дала монолог сына:

«Разные хорошие писатели, тот же **Тургенев**, писали о проблеме отцов и детей. Наверное, она существует. Но что-то не верю я в то, что это природный такой закон: мол, рано или поздно между родителями и взрослыми детьми обязательно возникает напряжение и непонимание.

Я больше склоняюсь к тому, что этим стереотипом люди просто оправдывают недостаток доброты. По-моему, будут конфликты или нет, зависит от того, как себя ведут родители и дети. Это же двусторонняя история, верно? Но одной доброты, чтобы их избежать, мне кажется, мало. Особенно в современном мире, в котором очень все ускорилось.

Мы сегодня успеваем за день переделать множество дел, а на то, чтобы проанализировать их, времени не хватает. И поступки близкого человека, его слова, его настроение тоже не успеваем проанализировать. Вот и «сталкиваемся лбами». Наверное, так было всегда, а теперь еще больше усугубилось.

У нас с отцом тоже бывали столкновения. Но вот такого, чтобы конфликт грозил закончиться разрывом отношений, к счастью, не случалось. При том, что ни я, ни отец никогда не старались как-то целенаправленно поддерживать, укреплять наши отношения. Все складывалось так, как складывалось. И спорим, и ссоримся, и скажу вам, что это иногда даже больше сближает, чем полное единодушие по всем вопросам.

Надо сказать, что мы с отцом скорее друзья, чем в классическом понимании «отец и сын». Во всяком случае, назидательность в наших отношениях начисто отсутствует. В них больше иронии и самоиронии. Но когда отцу нужно что-то мне такое «родительское» сказать, он, конечно, скажет.

Хотя, скрывать не буду, главный человек, который меня воспитывал, много в меня вложил, — это мама. Она филолог, большой знаток музыки, театра.

В пору моего детства отец на меня влиял куда меньше. Мы и виделись нечасто. Но, мне кажется, это ничуть не помешало нам стать близкими людьми. Родителей и детей делают чужими какие-то совсем другие вещи.

Разумеется, у каждого поколения своя интонация. Вот девяностым годам, когда папа был молодой, была свойственна интонация такого стеба, ерничества. Мы же поколение информационного бума: выбирай что хочешь — любую книжку, любой фильм в Интернете. И говори что хочешь. Мир открыт, и возможностей больше. Поэтому и интонация такая — напрямую, открытая. Но при этом я абсолютно нормально «считываю» и папины шутки. Его «Гражданин поэт» мне очень даже понятен...

Мои дед и отец — истинные, природные ли-цедеи. Отец даже говорит, что для **Олега Никола-евича** театр был важнее жизни. Я в этом смысле не в деда. Мне кажется, театр — это не жизнь в полном ее понимании. Мне, например, не хоте-лось бы ради театра жертвовать общением с бу-дущими детьми, жертвовать семьей. Но — говорю так, а вдруг получится по-другому? Поэтому — что загадывать наперед? Мне было двенадцать лет, ког-да не стало Олега Николаевича.

Помню, за неделю до его смерти нас, внуков, привели в его квартиру на Тверской. Видимо, чув-ствовали, что надо проститься. Но я его не вос-принимал как дедушку. Для меня дедушкой был мамин папа, с которым я вырос, профессор фи-лологии **Роберт Бикмухаметов**. Он переводил **Му-су Джалиля**, огромный вклад внес в нашу культу-ру. И больше помню прадеда — **Бориса Алексан-дровича Покровского**. Как сидел с ним в ложе на «Хованщине» между **Ростроповичем** и **Вишнев-ской**. Спектакль шел четыре часа, и я мало что понимал — и в опере, и в своих соседях. Но ощу-щение восторга и тайны помню до сих пор.

…Мне было семнадцать лет, когда я поступил в Школу-студию МХАТ, и, к слову, еще не был так похож на Олега Николаевича, как (часто это слышу) похож сейчас. Тогда это точно никакой роли не играло. К тому же поступал я к **Константину Ар-кадьевичу Райкину**, которого сложно удивить родственными отношениями. Но вот после окончания училища меня брали практически во все театры, в которые я показывался. Я даже расстроился: получается, раз Ефремов, то дорога открыта? И тогда решил: пойду в свой родной «Современник».

Конечно, я советуюсь с отцом. Но он никогда не учит «как надо жить», скорее задает наводящие вопросы — и ситуация уже благодаря этому проясняется. То есть он уходит от прямых ответов: мол, поступай так, и не иначе. Он направляет — чтобы я сам нашел решение, чтобы у меня самого мозги работали.

Хвалит ли меня отец? Хвалит. Когда есть за что хвалить. А если что-то не получается, говорит: «Все будет в обмен на молодость».

Мой дед, Олег Николаевич Ефремов, оставил отцу такую жизненную установку: «Не спеши!» Мне же от отца досталось другое правило: «Больше молчи!» Не хочется нарушать семейную традицию. Вот думаю, что бы такое оставить своему сыну, который, надеюсь, когда-нибудь да появится? Может быть — «Слушай!»? Молчать и слушать — ведь разные вещи? Но это — исходя из моего сегодняшнего опыта. Может быть, с годами что-то изменится…»

Из интервью Михаила Ефремова «Аргументам недели» (2020):

Сравнивали с отцом и сравнивают. И детей моих будут сравнивать. Нормально. Мой отец был круче, талантливее меня. Точно! Да, я Ефремов! Мне нельзя обделаться перед зрителем... Я такой один: талантливый, ужасный, грешный. В детстве мне говорили, что я проблемный. Иногда я сегодня говорю это своим детям. Я человек честный. Зачем рисовать из себя белого и пушистого? Что есть, то есть. Но я всегда могу себя контролировать.

Из интервью Михаила Ефремова журналу «Интервью» (2013):

Однажды Константин Райкин сказал так: «Ладно, первую минуту, ну три-четыре минуты на меня будут смотреть как на сына Райкина. Но потом-то я буду вынужден предъявлять что-нибудь сам». Я с ним абсолютно согласен. Если не кривить душой, то я бы, пожалуй, не отказался быть похожим на отца. Вы обратите внимание: папа не сыграл ни одного дурного персонажа, ни в кино, ни театре. И не потому, что амплуа у него было такое или подобных ролей не предлагали. Просто интеллигентность, душевная чистота «голосовали» за другие роли.

<...>

Ведь откуда пришло актерское ремесло? С площади и из церкви. Так вот я — шут, балагур, скоморох, выбежавший из балагана в цветном колпаке и неряшливом гриме. А отец — жрец. Он из храма. Он умел быть не просто актером, как я, а актером-человеком. Как никто...

Но «на роду» мне не было ничего написано, в детстве о карьере актера я даже не думал — одно время очень увлекался математикой, потом полюбил историю, и до сих пор ее люблю. Потом долгое время хотел стать таксистом. Наверное, это желание сформировалось, когда меня впервые отвели в таксопарк на экскурсию и, как любой мальчишка, я «заболел» автомобилями. Моторы, железки всякие, запах бензина произвели на меня огромное впечатление.

В своей последней беседе с Михаилом (летом 2019 года) я спрашивал о сыне:

Я знаю, что всю жизнь задают вопросы про отца, Олега Николаевича. А мне хотелось бы спросить про сына. Никиту сравнивают с тобой?

— Ну, есть еще Николай и Борис, есть еще Анна-Мария, Вера и Надежда.

Да. Но молодой Никита — это просто молодой Миша Ефремов.

— Нет. Молодой Никита — это молодой Олег Ефремов. Он похож на Олега Ефремова больше, чем я.

А Николай похож на меня и на Женю Добровольскую.

А Борис — на меня и мою жену Соню Кругликову, которая всегда и во всем права.

Из интервью Софьи Кругликовой (2014):

«У нас есть Надежда и Вера. А еще Борис, которого мы зовем Борьба. Знаю, они сберегут семью в целости и сохранности. Ведь Любовь мы оставили себе... Могу ли я оставлять детей на Мишу? Грудных — конечно нет! Но подросших и окрепших — думаю, да. Убеждение это явилось не сразу. Действительно, что плохого сделает им родной отец? Он очень ответственный, когда поднапряжется. И... по-мужски наивный. Однажды в 2010 году, когда Вере было шесть, а Наде три, я уехала с новорожденным Борей в Финляндию. В то время у нас работала одна из самых наших любимых воспитательниц — няня Галя. По объективным причинам она запоздала на денек, и девочки остались в Москве один на один с папой. Только успела пересечь границу, звонок: «Соня, что делать?! Надя проглотила два рубля!» Миша верит всему, что говорят дети, поэтому они отправились на рентген. Монета не высветилась, и на следующий день муж стал искать ее в содержимом детского горшка. Это был ад и страшный сон. Но он готов повторить, если потребуется».

ПРО АСЮ ВОРОБЬЁВУ, МАТЬ НИКИТЫ МИХАЙЛОВИЧА

Ася Воробьёва (в девичестве Бикмухаметова), филолог, редактор. Дочь историка литературы Роберта Бикмухаметова.

По версии сайта *syl.ru*, от матери ей досталась красивая внешность и стройная фигура, а от отца — высокий рост, ум, тяга к гуманитарным наукам и некая мечтательность, словно она все время витала в облаках. Стала студенткой филологического факультета Московского государственного университета, в котором преподавал ее отец. Буквально со студенческой скамьи девушка предприняла первые попытки устроить свою личную жизнь. Поэтому уже к двадцати пяти годам за ее плечами было целых два неудачных и скоротечных замужества. Впервые женой Ася Воробьёва стала в начале 80-х. Ее избранником стал какой-то зубной врач. Личности же второго супруга, появившегося в жизни Аси уже через год, история не сохранила. В 1986 году за девушкой начал ухаживать Антон Табаков, с которым Ася дружила с самого детства.

Он же впоследствии и познакомил свою первую жену Асю со своим другом Михаилом Ефремовым. Немаловажное значение на будущие взаимоотношения Михаила Ефремова и Аси Воробьёвой оказал театр «Современник». Вернее, даже не сам прославленный театр, созданный знаменитым отцом Михаила, а молодежная труппа «Современник-2», организатором которой стал его сын. В 1986 году студент третьего курса Школы-студии Московского художественного академического театра Михаил Ефремов во время летних каникул уговорил своих однокурсников, бывших детьми таких же, как и у него, звездных родителей, поставить пьесу «Пощечина» поэта и драматурга **Юрия Олеши**.

Никите Высоцкому, Александре Табаковой, Евгению Митте, Маше Евстигнеевой и Славе Невинному удалось создать постановку, которую они впоследствии стали показывать на собеседованиях при приеме на работу. Однажды их спектакль увидела **Галина Волчек**, бывшая в то время художественным руководителем театра «Современник». Ей настолько понравилось выступление молодежной труппы, что она немедленно забрала их всех в свой театр.

Так в «Современнике» появился «Современник-2», который возглавил Михаил Ефремов. В средствах массовой информации иногда высказывается мнение, что героиня этой статьи работала в театре Ефремова актрисой. Это не так, актрисой Ася Воробьёва, филолог по образованию, никогда не была. Когда Антон Табаков привел свою молодую жену к руководителю «Современника-2», своему другу Михаилу Ефремову, он сказал: «Старик, возьми Асю к себе на работу. Пристрой ее куда-нибудь. Она может быть, например, заведующей литературной частью. Пусть девушка хоть немного поработает...». Ефремов не отказал. Ася, несмотря на броскую внешность, была девушкой очень тихой и незаметной. В «Современнике-2» она была занята подбором подходящих для постановки пьес, после прочтения которых относила их на утверждение Михаилу Ефремову. Уже спустя пару месяцев профессионал амурных дел Ефремов предпринял первые попытки ухаживания за женой лучшего друга. Он начал бросать на нее призывные взгляды, поначалу заставлявшие девушку краснеть, но вскоре Асю посетили и ответные чувства.

Взаимоотношения Ефремова и тихой заведующей литературной частью быстро стали достоянием всего театра. Любой, кто оказывался рядом с ними, мгновенно начинал чувствовать себя лишним. Сама Ася впоследствии вспоминала, чем именно сразил ее Михаил: однажды ранним утром она проснулась в своей постели и увидела, что вся комната заполнена ее любимыми полевыми цветами, собранными для нее влюбленным Ефремовым.

Об их романе шептались по углам. Однако, несмотря на всю очевидность происходящего, и Михаил, и будущая мама Никиты Ефремова Ася Воробьёва хранили молчание. Между тем однажды кто-то все же рассказал Антону Табакову об этом театральном адюльтере. Взбешенный муж немедленно явился в театр и схватился с Ефремовым, в результате потеряв и жену, и друга. Ася переехала к Михаилу, а когда поняла, что беременна, ушла из «Современника-2». Как ни странно, Ефремов достаточно своеобразно отреагировал на новость о том, что станет отцом. В результате скандала девушка уехала рожать в Англию, пробыв в этой стране в общей сложности около полугода.

После возвращения на родину Ася Воробьёва женой Ефремова так и не стала. Послужила ли причиной этому новая интрижка Ефремова с одной из актрис, или всему виной была Алла Борисовна Покровская, мать Михаила, считавшая, что у девушки, в двадцать семь лет уже успевшей трижды побывать замужем, недостаточно хорошая репутация, чтобы стать женой ее дорогого сына, мы уже вряд ли когда-нибудь узнаем.

В конечном итоге, не прожив и двух лет в гражданском браке, пара рассталась. Михаил же стал воскресным папой. Сын Никита, внебрачный сын Воробьёвой и Ефремова, родился 30 мая 1988 года. После разрыва с Михаилом Ася вместе с ребенком вернулась к отцу. Роберт Гатович помогал любимой дочери как мог — кормил маленького внука, гулял с ним по парку и готовил к школе. Когда Никите исполнилось семь лет, отец Аси скончался. Помогать дочери начала к тому времени вернувшаяся из Алжира мать.

Когда ребенку исполнилось двенадцать, Михаил Ефремов признал свое отцовство. Никита, до того момента носивший девичью фамилию матери, стал Ефремовым. Мальчик рос довольно своенравным подростком, в нем сказывались гены отца. В то же время он любил точные науки и даже стал лучшим учеником физико-математической гимназии. После учебы Никита занимался спортом и, как и все его одноклассники, участвовал в школьной самодеятельности. Когда же он окончил гимназию, то неожиданно для всех передумал посвящать свою жизнь науке, вместо этого выбрав артистическую карьеру и став студентом Школы-студии Московского художественного академического театра. Единственным человеком, который пытался его отговорить от этого шага, был Михаил Ефремов, его отец.

Из первого (после трагедии 8 июня 2020) ТВ-интервью Никиты Ефремова:

«Не знаю, не могу говорить за всех артистов, нужен им допинг для творчества или нет. Скажу только про себя. У меня был момент, когда я и для отдыха, и для работы пользовался подобными стимуляторами. Думал, что это поможет мне отдохнуть или увидеть какие-то новые миры. Но все оказалось наоборот. Именно сейчас, когда я уже долгое время веду здоровый образ жизни, мне открываются действительно удивительные возможности и перспективы.

Процесс самопознания и понимания, кто я, у меня начался до самоизоляции. В ней ничего нового про себя и про людей я не узнал. Вначале был стресс, я не знал, что это за болезнь и как к ней надо относиться, были даже панические атаки. Сейчас все нормально. Лично я хожу к психологу. Вообще психология мне очень интересна, хочу найти баланс в своей жизни. Безусловно, актерская профессия в какой-то степени шизоидная. Поэтому важно от нее отстраняться, отдыхать. К тому же я занимаюсь самоанализом. Пытаюсь понять, почему, например, я теряю чувство благодарности или слишком серьезно реагирую на себя и других? Ведь при этом исчезает легкость, вдохновение.

Снобизма по поводу ролей и предложений у меня нет. Ощущения, что я Никита Ефремов и у меня есть «планка», тоже нет. Когда люди пишут комментарии о том, где и как они меня видят, то это их ожидания. Лично для меня чем больше ожиданий, тем больше разочарований. С одной стороны, плюс, что я родился в такой семье, а с другой стороны, она обязывает оправдывать ожидания и зрителей, и самого себя. Для меня отдельная задача сделать так, чтобы я гордился своей фамилией, но при этом не был от нее зависим. Наверное, это можно считать побочным эффектом. Мне нравится подход отца к работе, он умеет вести себя на площадке, с одной стороны, очень легко, с другой — профессионально. Всегда шутит, но при этом, когда надо собраться и сделать что-то серьезное, моментально перевоплощается. В этом смысле мне бы хотелось стать таким же сильным профессионалом, умеющим работать на площадке с легкой юморной энергетикой».

Несколько месяцев спустя, осенью прошлого года, Никита Михайлович стал новым героем YouTube-шоу Агаты Муцениеце «Честный развод». Актер рассказал о недолгом браке со своей коллегой Яной Гладких и отношениях с Марией Иваковой:

«Мы вместе уже полтора года. В начале наших отношений мы думали, что мы телепаты: всегда казалось, что ты должен догадаться. Через полтора года я уже, может, и понимаю, где мне надо догадаться. Вижу признаки: "Какой сейчас день? А, у тебя ПМС. Понял, значит, следующие пять дней мы проводим в другом режиме". Это, кстати, очень важно.

Я ревнивый. Но я себе просто запретил ревновать. Я поговорил с одним мудрым человеком, и он сказал: "Просто запрети себе это, и все". Если ревность подразобрать — это значит "мое, не отдам". А с чего оно мое? То есть это опять моя какая-то слабость, низкая самооценка. Я не хочу быть неуверенным в себе.

<...>

Когда я занимаюсь какими-то фантомами в моей голове, мол, что обо мне подумают, я очень много трачу энергии на эти думания. Как только фокус внимания оттуда убирается, вообще пофиг. Ну это же не случайно произошло, что я родился в такой семье. Значит, мне доверили этот урок.

Меня сначала это не парило, потом поступил в институт — начало парить. Потом я понял, что это реальность: глупо, если я буду этому сопротивляться. Меня все равно иногда это напрягает. Мол, почему это меня не воспринимают, я вообще-то отдельная личность! Страх быть каким-то маленьким.

Может, у меня и были какие-то мысли о смене фамилии, особенно в острые моменты моих переживаний, но сейчас нет.

<...>

Я долго смотрел на ситуацию развода *(с Яной Гладких. — Е.Д.)*. Она была очень важна для моего развития. Влюбился и все такое, но все-таки жениться — это какой-то другой шаг, мне кажется. Мной он тогда воспринимался как серьезный шаг. И, возможно, я что-то хотел доказать родителям, которые развелись рано. Я уверен, что я не был готов на тот момент к женитьбе, к совместной жизни. Я тогда занимался собой. У меня была такая картинка: жена, загородный дом, камин. Довольно типичная картинка, впитанная где-то в детстве через массмедиа и американские фильмы.

Мы развелись где-то через год. Брак — это вещь серьезная и ответственная. Мне кажется, мы оба не были готовы, у нас был какой-то беспорядок с границами. Есть замечательная фраза: «Границы — это то расстояние, с которого я могу одинаково любить и себя, и тебя». И сейчас для меня в идеале любовь — это не какое-то смешивание вроде «мы должны быть всегда вместе» и все такое. А у нас были очень смешанные границы, какое-то слияние очень сильное: то я слишком хотел, чтобы она была моей, то она что-то хотела. Это тогда был эгоцентризм с моей стороны во всем. Я жил в том, что есть я и какие-то мои потребности. Я вообще не понимал, что такое партнерские отношения. На мой взгляд, в детстве я получил много установок про эти расстояния и границы.

О разводе первой заговорила она, а я вошел в новый цикл — жертвы. Мол, какой ужас, меня никто не понимает, я страдаю, все отвратительно, Боже, за что? Сейчас я со стороны вижу, что, может, мне очень хотелось пострадать. Я нашел оправдание тому, что могу напиться или что-то пропустить.

<...>

Я не считаю, что алкоголь и наркотики являются причиной. На самом деле в какой-то момент они являются решением проблемы: мне изначально плохо, и этим я решаю проблему. Проблема не в этом, а в том, что у меня внутри. Надо сначала признать, что зависимость есть. В этот момент ты понимаешь, что внутри тебя дыра, и ты все время пытаешься ее чем-то закрыть. И чем дольше ты это делаешь, тем большее озеро говна открывается, но через него надо пройти. Только через боль, только через рост.

Я скрывал боль, думал: не дай Бог, кто-то увидит, что я слабый. Я не принимал себя, не любил. Пока я считаю, что та проблема, которая существует, только моя, и я должен решить ее сам, я остаюсь наедине со своими страхами, а страхи любят темноту. Я не гарантирую, что, как только ты их выведешь на свет, они сразу растворятся. Но надо открываться и просить о помощи».

НАЗОВЕМ ЭТО PS

Трудно расти в тени больших деревьев. Непросто, родившись в семье знаменитостей, доказать, что ты чего-то стоишь.

Но, с другой стороны, ты уже заведомо позиционирован среди великих, что, конечно же, придает объем любому действию. Не говоря уже о том, что культурный багаж семейного происхождения бесценен по определению и ни с каким официальным образованием не сравним.

Конечно, многие именитые отпрыски актерских фамилий становятся тупиком гениальности, но не всегда. Бывают и продолжатели традиций, прокладывающие культурный мост между прошлым и будущим.

Миша является ярким представителем актерской династии и по всем параметрам попадает в категорию «плывущих по течению». Он обладает бесспорными способностями в той сфере, где преуспели его звездные родители, органично вписан в среду, его породившую, и унаследовал от отца способность при этом быть «своим» и для массовой аудитории. И если Олегович не создал образ «нашего современника» (что **Ефремову-старшему** однозначно удалось), то не в силу отсутствия таланта, а в силу несовпадения со временем.

Михаил Ефремов = непобедимый герой эпизода, мастер ироничной миниатюры, эмоциональный и открытый человек, что считывается зрителем, но день сегодняшний для мужских характеров сложен как никогда. Не то что рассчитать, но даже предугадать, какой мужской типаж может стать «культовым», не представляется возможным.

Поколение отцов нынешних пятидесятилетних актеров создало целую палитру мужских типажей, и Олег Ефремов вместе с **Алексеем Баталовым** возглавили список «настоящих мужчин» эпохи. А поколение их детей не особо преуспело в этом. Собственно, за весь постсоветский период у нас случился всего один «герой», и это был «Брат» **Сергея Бодрова**.

Судьба обрекает талантливого актера «переходного» в культурном отношении периода на эпизод, красивое украшение полотна, которое целиком и не увидеть. Недаром именно Михаил сыграл один из самых ярких образов в экранизации «Поколения П». Он сам часть поколения, которое уйдет, не оставив следов, но порадовав современников.

В определенном смысле Михаил Олегович продолжил, скорее, традицию **Ширвиндта** с **Держави-**

ным, мастеров сатирического эпизода, но точно не тех, кто совпал с эпохой в ощущении «высоких чувств».

Говоря о Ефремове как о культурной единице, нельзя не вспомнить о его многодетности и о том, что **Никита Ефремов** уже сейчас подает серьезную заявку на востребованный сегодняшними молодыми мужской характер. Жизнь перетекает из поколения в поколение, и можно с уверенностью сказать, что свой багаж Михаил Ефремов, не растеряв, а приумножив, успешно передал по наследству.

Помню, как-то **Лариса Гузеева**, представляя в своем ТВ-проекте «Давай поженимся» очередного претендента на роль жениха, заметила, что мужчины-актеры поразительно пусты и бессодержательны.

И **Татьяна Толстая** однажды сказала:

«У актеров вообще нету частного лица, поэтому мы их никогда не зовем в "Школу злословия". Это бесполезно, вы не можете узнать, кто они на самом деле есть. Актер всегда в личинах и масках. Мы его видим в разных ролях и можем как-то экстраполировать его истинную сущность, но она никогда не проявляется, даже когда он пьянствует. А он пьянствует, как раз чтобы затушевать вот это отсутствие материального стержня».

Сам герой настоящего повествования в одном из интервью признался:

«Профессия странная, профессия подозрительная. И хоронили актеров всегда за оградой кладбища.

Актеры после возникновения кино и Голливуда, а тем более после появления телевидения, стали какими-то прямо жрецами. А мы на самом деле клоуны. И потому мне порой неудобно, что я становлюсь каким-то глашатаем. Читаю потом свои интервью и думаю: какой-то тупой человек — анализирует, предрекает, кого-то к чему-то призывает, гражданскую позицию имеет... А какой из меня гражданин? Я голосовать-то ходил всего один раз, да и то давным-давно... Стране абсолютно наплевать на то, что я говорю, и президенту нашему наплевать. Наша страна очень большая — трудно услышать друг друга на таких огромных расстояниях».

Так вот Михаил Ефремов, актер, лихо пьющий и, более того, делающий из своего пьянства своего рода мега-игру, представляется мне на самом деле персоной вполне аутентичной: он ничего не изображает в жизни в отличие от большинства своих коллег. Такой, какой есть.

И актер он просто гениальный, однако не лицедей, полагаю. Возможно, именно поэтому и продержался в качестве ведущего ТВ-программы «Жди меня» всего полгода: исполнителю нужен режиссер, а не установка.

Так сложилось, что у Михал-Олегыча режиссером по жизни стал **Андрей «Вася» Васильев**, одаренный «журналюга», прославленный главред «Ъ», циничный мизантроп и, между прочим, неплохой (и недооцененный) актер (не забуду, как истово он желал сыграть **Бориса Березовского** и какой точный был бы это образ, о боги кинематографа + фарса!).

Именно факт этого альянса (точнее, дружбы), замешенного вовсе не на алкоголизме (лютая страсть «Васи» к спиртному в значительной степени мифологизирована; питие в целом имманентно журналистам советской школы, сам, признаюсь, пил ежедневно & еженощно).

Я помню Ефремова конца 80-х, когда он зажигал по-богемному со своей тогдашней пассией **Наташей Негодой**, обладательницей титула секс-символа СССР (после премьеры «Маленькой Веры»). По мне, он не претерпел основательной коррекции жизнью или бытом.

Как и большинство людей его среды, не особо привечает журналистов и не считает нужным эту (абсолютно, подчеркну, закономерную) неприязнь шифровать.

Как меньшинство, недолюбливает кошек, однако у него просто банальная аллергия на хвостатых. Как почти все, знает себе цену, при этом не обременен дешевыми понтами. И — еще раз — очень настоящий, что редкость в актерском цехе. Мое мнение. При этом пелевинский абсолютно герой, с этой его хмельной игрой в футбол на юрмальских площадках и поездками на Афон с загадочными собутыльниками.

Их с Васильевым проект «Господин хороший» обрел статус культового не только у зрителей, настроенных оппозиционно, он стал симпатичной частью богемного ландшафта современной России. И поэтому их имена теперь связаны в пульсирующий узел, который не будет распутан, даже если в силу обстоятельств пути этих двух экстравагантных разойдутся.

Кстати, помню, когда лет пять назад родилась идея сделать с Ефремовым обложку журнала STORY, я тут же набрал Ефремову. Так вот, трубу снял… хмурый «Вася»: «Мишка спит еще, рано». Однако! Было три пополудни. Но! Выяснилось, что удалая парочка тусуется в Калифорнии.

Впрочем, на сцене выступал Михаил в паре с **Андреем «Орлушей» Орловым**, который как-то сказал:

«Наша дружба — это не политический альянс, как могут некоторые подумать. Мол, собрались три нацпредателя и решают себе, как бы получить побольше денег или когда снова поехать "скакать" на Майдане. С Ефремовым я познакомился в Крыму 8 мая 1978 года. Мы действительно друзья, а не просто случайно оказавшиеся в "белом списке" люди, куда нас записало Министерство культуры Украины».

Миша. Человек-реклама, человек-избыточность, человек, плывущий по течению времени и получающий от этого удовольствие, — так можно описать, глядя с разных сторон и под разным углом, актера, который четверть века украшает нам жизнь.

ГОД 2020

В этом разделе собраны авторские наблюдения за диванными битвами в социальных сетях.

ФАНАТЫ, ХЕЙТЕРЫ, КОЛЛЕГИ

Соцсети на ДТП среагировали сразу же. Одной из первых, 9 июня, откликнулась кинематографист **Елена Райская** (ее еще процитирую ниже, по другому поводу):

«Хотела отмолчаться по поводу Миши Ефремова. Но не могу. Должна и хочу сказать. Я хлебнула с ним горя на съемках "Супертещи": он был постоянно пьян, иногда забывал явиться на площадку, задирал ментов и гаишников. При этом Миша большой, очень большой актер, на мой взгляд. Его Бог поцеловал в макушку вслед за отцом. А еще Миша дерганый, да, но очень теплый человек.

И вот теперь тот же Миша — преступник. Да, самый настоящий. Пьяный, севший за руль, априори преступник. Даже если он никого не собьет, не покалечит, не убьет. (Дабы никто не посчитал меня святошей, признаюсь, что сама несколько раз садилась за руль после рюмки, а то и двух. Считала себя совершенно трезвой.

И в ДТП ни разу не попала. Но однажды жестко остановилась: рыбьим своим чутьем поняла, что плохо кончу.)

Так вот. Я здесь не адвокат, не фанат, не носитель идиотской белой ленты. Я только высказываю свое личное ощущение от случившейся трагедии. Погибшего, Царствие ему Небесное, уже не вернуть. Вернуться из чернухи и пьяного мрака может только Миша.

И вот здесь все будет зависеть от справедливости наказания (а оно должно быть самым суровым) и еще в большей степени от того, как Миша его примет. Если с достоинством, смирением и осознанием своей вины, то он небезнадежен. Если подключит знакомства, связи и избежит сурового наказания, то лично для меня он закончится навсегда».

Я добавил к этой реплике пару в целом нейтральных слов как бы в защиту Михаила и тут же получил ответку от подписчика:

*«У меня такое ощущение, что вам заплатили за создание образа Прекрасного Человека. Для всех простых людей, которые потенциально могли находиться на месте погибшего, несмотря на его талант и роли, Ефремов — алкоголик и убийца. Вы сейчас незримо напомнили Америку и **Джорджа Флойда**. Не покаяться ли нам перед Мишей?».*

И вот сдается, что Райская как бы ответила на этот риторический вопрос. Каяться не надо. И не надо бухать за рулем. Банально? Да. Предсказуемо? Не без этого. Но как иначе?

Про ДТП с участием Михаила Ефремова у себя в тот же день высказались знаковые деятели культуры.

Композитор Юрий Лоза:

Несмотря на то, что Михаил Ефремов однажды криво спел на мотив «Плота» плохонькие вирши стихоплета **Орлуши**, в которых тот пытался меня перепачкать и перемазать, у меня нет к актеру никаких чувств. Ни злобы, ни обиды, ведь я понимаю, что придумать сам он ничего не мог в силу сомнительного интеллекта и отсутствия навыков к сочинительству. И когда мне позвонили с просьбой — прокомментировать недавнюю аварию, я ответил, что все должно быть по закону и не более того. Однако вчера несколько раз натолкнулся на просьбы его коллег — не устраивать травлю «гениального артиста», которому сейчас и так тяжело. Но помилуйте, в самом слове «травля» заложено упоминание действия. Однако как можно отравить человека, который сам давно отравил сначала свою жизнь, а потом и жизнь многих ни в чем не повинных людей? Он с детства жил в атмосфере вседозволенности, ему прощалось то, за что другие давно получили бы по голове. Кто-то говорит об особенном, практически незаменимом таланте, о будущих ролях и т.д. и т.п. Поверьте, как «отряд не заметит потери бойца», так российский театр и российский кинематограф не заметят потери Ефремова, если он получит реальный срок. На его место готовы встать сотни актеров, не имевших доселе возможности сыграть те роли, которые сыграл бы он, не случись этой аварии. Были и есть незаменимые актеры, но он не из их числа. Вот только на эфире у Соловьева один из его авторитетных гостей выразил сомнение в том, что справедливость восторжествует в полной мере, и что пьяный в лоскуты баловень судьбы не понесет заслуженного наказания за то, что убил хорошего человека. У меня те же сомнения...

Телеведущая Наталия Метлина:

Не могу молчать. По поводу аварии с Ефремовым. Несколько лет назад я снимала большое расследование о пьянстве за рулем. Я снимала родственников погибших. Я помню женщину, которая осталась одна с тремя маленькими детьми, один из которых с ДЦП, у нее погиб муж, он был таксистом и в него на полной скорости въехал пьяная скотина, который выворачивал с Бронной на Садовое кольцо, но так и поехал на «Шевроле Тахо» на встречку. Погиб таксист и его пассажирка — молодая девушка, очень талантливая, светлая, у которой осталась мама. Одна... Виновник аварии был осужден на 3,5 года колонии поселения, в которой он так и не появился... Ни копейки эти люди от него не получили.

Снимала я и семью из Раменок — там погиб водитель поликлиники, в него на полном ходу врезался пьяный брат артиста **Гармаша**, и артист Гармаш прятал его по всем психушкам Москвы, пока эту историю окончательно не забыли журналисты. Я помню и гибель от рук какого-то мажора старика, который шел в мечеть. Тот хотя бы выплатил семье погибшего несколько миллионов. В случае с Ефремовым — у меня нет слов. Я жду, когда же начнется вой по поводу того, что он жертва политических репрессий, смелый борец с режимом.

Надеюсь, у правоохранительных органов хватит мужества довести дело до конца, а у судьи не дрогнет рука содрать с Ефремова три шкуры в пользу детей погибшего, а потом усадить алкоголика далеко и надолго. Он очень долго шел к этой аварии. Но я думаю и о всех нас, не застрахованных от того, что на встречку вылетит пьяная скотина. Я призываю коллег по Думе — отслеживать всю цепочку следственных действий. Очень хочется, чтобы это дело стало показательным для всех, кто не дорожит чужими жизнями...

Писатель Захар Прилепин:
Мои соболезнования семье погибшего. Все это чудовищно. Ефремова ужасно жаль. Надо, наверное, написать, что он преступник? Преступник. Умереть дело нехитрое: это и Ефремова касается. А вот когда душа в клочья — тогда как? Но кто без греха — те имеют право осудить. Я не по этой части, простите. Дай Бог не зарекаться от тюрьмы и от сумы. И от чумы еще. Так русские люди завещали. Они знали в этом толк. Но всем, кто не воровал денег, не делал абортов, не обманывал близких, не бросал детей, не унижал родителей, не стрелял в людей, не уходил от налогов, не участвовал в коррупционных схемах, не мошенничал, не покрывал правонарушений, не нарушал ПДД, не употреблял наркотики, не продавал палево, не злословил попусту — им проще. Пусть и впредь у них все будет так, и только так. Как хорошо, если с вашими близкими никогда не случится ничего подобного. И они никого не убьют, и их никто не убьет. И вам не придется тащить этот крест на себе. За сына, за брата и за отца.

И вот, кстати, любопытное замечание про Высоцкого:
«Конечно, грань очень тонка. Не в принципе — принципиальное отличие ровного пацана от мудака есть отличие фундаментальное и глобальное — а вот сама грань момента. Все водилы

любят быструю езду, не только русские. Почти все водилы хотя бы раз в жизни садятся за руль в состоянии измененного сознания. Тем более, если водила рокенролльного склада, тут вообще туши свет и каждая пятая, наверное, американская — где дорог и машин поболе прочего — рок-звезда разбилась в аварии (каждая третья — передоз, гг). Владимир Семёнович, например, гонял как черт и в авариях был раз десять. Собственно говоря, он трезвым или не угашенным вообще, похоже, катался редко. Практически все свои машины (шесть или семь) он разбил в авариях, в трех из которых — заметим, в полупустой в семидесятые годы Москве — он въехал в общественный транспорт, не пропустив никого: раз в трамвай, другой — в автобус и третий — в троллейбус. Эта третья (1 января 1980) была самой скотской, строго говоря: в машине вместе с пьяным Высоцким также находился его друг актер Всеволод Абдулов — который за три года до того сам попал в жестокую аварию, и после этих двух происшествий так и не смог полностью восстановиться до самой смерти. А помимо Абдулова в машине были еще и две девушки, но Высоцкий — зимой, по обледеневшей дороге, на лысой резине гонит под 200 км, ну и вот. Охренение, конечно, чувство ответственности. За год до того герой Высоцкого произносит в знаменитом фильме знаменитую фразу: "Ты не сознание, ты совесть потерял". Впрочем, Высоцкому оставалось жить 9 месяцев и ментально он тогда уже был порушен довольно-таки в хлам, что, конечно, не оправдывает».

НЕ ПРОМОЛЧАЛИ И ДРУЗЬЯ

Потребитель печатного слова предпочитает эксплицитно проговоренную авторскую позицию. Причем желательно, чтобы она совпадала с читательской. Тогда автора любят. Если она противоположна, но яростно прописана, сочинившего уважают. Фрустрация начинается там, где намечается предательский полет над схваткой: социум не толерантен к нейтралитету. Это трактуется как малодушие.

«Вы — сексменьшинство или сексбольшинство?»

«Я = сексуальное одиночество».

Очень актуально для каждого, имеющего голос в сакраментальной нашей «медийке» и не желающего при этом голос этот отдавать какой-нибудь из конфликтующих сторон. А других (в смысле — сторон) здесь не наблюдается. Причем речь об изоляции именно сексуальной тональности. Потому что пожелавшего воздержаться при голосовании как бы трахают. Причем со всех сторон. Напоминает все это метания а-ля доктор Живаго.

Я весьма амбивалентно отношусь к Диме Быкову, но не могу не признать, что текст, который он написал о своем соратнике Мише Ефремове, – блестящий образец журналистской работы, ему удалось выбрать верную интонацию, на мой взгляд.

Цитирую:

«Уже сейчас совершенно очевидно, хотя будет расследование и до решения суда никого убийцей называть не следует, — уже сейчас совершенно очевидно, что с Михаилом Ефремовым случилось худшее, что с ним вообще могло случиться. Ужасна судьба Сергея Захарова, жертвы этого инцидента. Если вдуматься — а это более-менее мое поколение, хотя эти люди меня постарше года на четыре, на пять, но, в общем, это именно судьба поколения, которое так перерезано оказалось 90-ми: люди, которых готовили для жизни в СССР, а жить им пришлось в совершенно других условиях. Ужасно, что Захаров — человек сильно за пятьдесят, с высшим техническим образованием — подрабатывал в Москве курьером и развозил заказы в жалком этом пикапчике, автомобильчике, который сложился от удара практически вдвое. Ужасна судьба его взрослых детей, судьба его жены гражданской (той, которая приходит на ток-шоу и там рассказывает о нем), — ужасная трагедия. И конечно, никаких не может быть попыток смягчить судьбу Ефремова, он и не примет сам таких попыток ее смягчить, потому что, насколько я понимаю, раздавлен он сам абсолютно, и раздавлены все, кто его любил и любит.

Я не буду отрекаться от своих друзей, хотя многим это бы доставило удовольствие. Тут один подонок — не буду называть его имени — уже написал:

"Дмитрий Быков расплывчато высказался, что произошла чудовищная трагедия".

Почему "расплывчато", подонок? Что я должен был сказать? Я должен был вместе с тобой кричать "ату!" и улюлюкать? Или, может быть, публиковать заработки моих оппонентов, как это попытался сделать ты? Так я горжусь тем, что театр **Олега Табакова** заказал мне перевод "Школы жен". Я горжусь тем, что я работал с Ефремовым. Ефремов — до того, как это случилось, — был одним из самых любимых и известных актеров страны, и одним из самых достойных ее актеров. И конечно, с ним сейчас сводят счеты очень многие — и из зависти, и за гражданскую его позицию. Я отрекаться от моих друзей не приучен, даже если они совершают чудовищные поступки, а этот поступок — я уверен — был совершен им в безумии. Будет еще психиатрическая экспертиза, будут смотреть, что и как это вышло. Это трагедия огромная. И для меня это огромная трагедия еще и потому, что хотя я с Ефремовым общался сравнительно немного, но во время этого общения я восхищался и его умом, и талантом, и абсолютной честностью. Я знаю, что сейчас он казнит себя так, как никакая улюлюкающая толпа казнить его не сможет.

А вы — люди, которые пытаются извлечь из этого политические дивиденды, — вот вы поступаете действительно ужасно. Понимаете, это даже не цинизм — это что-то адское, запредельное. Я понимаю, что сейчас так сложилось, что все постоянно следят друг за другом: кто оступится? Сейчас оступаться нельзя, сейчас самое верное — вообще молчать. Я говорил уже много раз о том, что мое самое заветное желание сейчас — это выпасть вообще из публичного поля, из любого публичного пространства. Мало того, что не давать комментариев стервятникам — этого я и так не делаю, но вообще не открывать рта, потому, что бы вы ни сказали, все будет использовано против вас. Никого, кроме хейтеров, не осталось.

Понимаете, я думаю иногда: в чем безысходность нынешней российской ситуации? После **Сталина** могла быть оттепель, после **Брежнева** могла быть перестройка. Но после того, что творится в России сейчас, я не представляю, возможен ли для нее какой-то реанимационный процесс, какой-то путь к обретению прежних ценностей. Все-таки тогда были какие-то табу, сегодня их нет абсолютно. Я совершенно согласен с моим любимым кинокритиком **Еленой Стишовой**: мы растеряли все хорошее, что у нас было. Да, мы стали хуже.

Понимаете, с человеком случилась трагедия: он ненамеренно убил. И такая же, кстати говоря, те же слова — "трагедия" — применимы к судьбе Захарова, к страшной судьбе. Человек этот заслуживает хотя бы сейчас понимания, сострадания, уважения к смерти, чтобы не устраивать пляску на костях. Вы думаете, вы все безупречны? Нет, это не так. И если кто-то — как кажется им — недостаточно радикально осудил Ефремова, то делать из этого повод для травли — это что-то совершенно запредельное. С другой стороны, сейчас столько запредельного происходит в мире, что уже на этом фоне что там говорить...

Я, конечно, не могу не отметить двух "выдающихся" публикаций. Я думаю, что здесь методичка, потому что слишком уж совпало мнение одного писателя и одного сценариста. Я просто не буду их называть, чтобы не делать им пиара лишнего, потому что не собираюсь же я обращаться в суд? Но вот они пишут: "Не могу (это я цитирую сценариста) отделаться от мысли, что случившееся — какой-то кармический ответ за моральный беспредел, который при полной поддержке московских чиновников от культуры устроил творческий соратник Ефремова господин Быков. Напомню, что рифмодел украсил чуть ли не первое после карантина большое московское культурное мероприятие, книжную ярмарку на Красной площади, прочитав со сцены довольно слабенькие по исполнению и глупо злобные по содержанию вирши, уравняв в них российскую власть и коронавирус".

Милый мой, я понимаю, что **Пушкин** – слабый поэт, ну что поделать? "Наше все", — говорит **Аполлон Григорьев**, хотя тоже был, кстати, алкоголик. Конечно, вы лучше, что там говорить? Конечно, у Пушкина было много слабостей. Но «Гимн чуме», который я читал со сцены, он не про коронавирус, и он не принадлежит к числу слабых творений Пушкина, а, наоборот, **Цветаева**, например, считала его вершиной русского стиха. Ну что же за русофобия-то? Понимаете, я уже не говорю о том, что Пушкин покаялся за "грехи" юности: он написал "Клеветникам России", "Бородинскую годовщину" — довольно сильные, сильно энергичные стихи. Да и вообще, так сказать, у него были недурные сочинения.

Почему "слабенькие стишки", я не понимаю? Я читал песню председателя, гимн, и это выложено в сеть, ну что же вы не потрудились послушать? Может быть, вам бы понравилось. Это же был, понимаете, день рождения Пушкина. Я понимаю, что, как написал другой автор, писатель, "сравнимо выступление Быкова с ДТП со смертельным исходом — то, что он там прочел при поддержке московских властей". Я хочу для авторов РЕН-ТВ сообщить, что я выступал там бесплатно, как и все. И вообще это было в рамках "Пионерских чтений". Но это был день рождения Пушкина, поэтому я осмелился прочитать со сцены стихи Пушкина. Я не знал, что это нельзя, понимаете? Наверное, если я сказал, что Ефремова надо распять, то это сошло бы мне с рук. Но то, что Пушкина нельзя в день его рождения, — я не знал, господа, ну что же такое, правда? Он был неплохой человек, и даже государь сказал, что он ему прощает (правда, это было на смертном одре). Но он печатался, и его признавали не самые последние люди; например, лояльный очень **Жуковский** считал его недурным стихоплетом. А тут — "слабенькие стишки"… Это не про коронавирус стишки, а про чуму. И главное, выступление это находится в общественной доступности: там, кроме Пушкина, ни единого было не сказано слова, все — дословные цитаты. Что же вы делаете, ребята, давайте не строить себе такой ад?

И если говорить чуть серьезнее, то, понимаете, в чем адскость этой жизни сегодня? Натравливание постоянное. Они, вероятно, думают (те, кто дирижирует этим хором), что они таким образом помогают сплочению нации. Нет, они делают вот то самое, что сказал господин **Патрушев**: они разрушают цельность народа. Ведь Патрушев специально предупредил об этом в интервью "Аргументам и фактам": вы разрушаете целостность народа, вы натравливаете одну его часть на другую: вы что, действительно это на деньги Запада делаете? Я-то не имею доступа к вашим финансовым ведомостям. А в принципе, это очень дурно пахнет.

И та атмосфера, которая насаждается, тоже ужасна. Тот ад, в котором оказался, в который загнал себя Ефремов, — это не дай бог, я злейшему врагу не пожелаю этого, потому что это грех и это его вина. Но почему же вы все время требуете, чтобы все его топтали. Во-первых, дождитесь суда, который проведет психиатрическую экспертизу, назначит полную экспертизу ему, узнает, как все это было, узнает детали, — и тогда называйте его убийцей, но зачем же топтать закон? У нас и так его не очень много. И конечно, я никогда не пожалею, я всегда буду гордиться тем, что я работал с Ефремовым, что я его знал тогда. Что с ним случилось сейчас и какой он — я вообще в последний год не виделся с ним, если не считать одного нашего интервью, во время которого он казался мне абсолютно адекватным.

Но мне очень жаль, что я мало с ним общался. Может быть, я сумел бы почувствовать его какое-то психологическое неблагополучие и от чего-то его спасти. Потому что я знаю столько людей, которым он помог в разное время, помог словом, помог делом; и я уже не говорю о том, что зачеркивать сделанное им в искусстве — это просто нерасчетливо, у нас не так много хорошего кино. При этом еще раз говорю: сделанное — чудовищно, случившееся — ужасно. Сколько раз хотите я это буду повторять. Но требовать отречения, как требовали при **Сталине**, — господа, ну опомнитесь вы немножко: если к каждому из вас присмотреться, там можно увидеть такое, что просто, знаете, волосы на голове дыбом встанут. Но это ладно, разумеется».

Андрей «Орлуша» Орлов, подельник:

Не спрашивайте меня, почему я никак не реагирую на произошедшее с Ефремовым. Не спрашивайте, почему я не оправдываю и не осуждаю его. В отличие от большинства комментаторов случившегося, я близко знаю Мишу много более 40 лет. Близко. С тех самых пор, когда он еще хотел стать великаном. Я видел его, поверьте, всяким. Красивым и уродливым, великим и низким, умным и глупым, талантливым и бездарным. Никогда не видел я Ефремова мелочным, жадным, подлым или лживым. Ни-ко-гда.

Я видел его забывшим, как зовут его самого и меня, и друзей, и самых близких, и отца родного. Пусть кто-то из резвящихся сейчас мемуаристов скажет, что с ним самим (не с Ефремовым, а с ним самим) такого не бывало.

Я видел его в ситуациях, когда он, Миша, совершал благороднейшие поступки «просто так», для прикола. Для прикола, по определению невозможного и не вообразимого большинству из тех, кто сегодня вспоминает «Ефремовские куражи». Вам, гагары, недоступно.

Мы с Ефремовым похоронили множество друзей. Конечно, их уходы оправдывались похожестью на судьбы **Моррисонов, Джоплин, Цоев и Кобейнов**, но наши **Шкаликовы, Крупновы, Курёхины, Бахыты** все равно были роднее и свое. Мы их хоронили, с ними спали наши бабы, ими спеты наши песни про то, что если все сдохнут, то приличных людей на твоих похоронах не будет.

Мнац! Баша! Ключ! Сотни! Тысячи! Где вы?!!!

Мог ли я улететь где-то под Комарово в овраг в чьей-то пьяной «копейке»? Однозначно. Мог ли Ефремов вместо лба долбануться в тот четверг затылком об серый питерский поребрик? Без вопросов, и не раз.

Не надо здесь про бога, Бога или Б-га. Мы им всем троим были так же по барабану, как и они нам. Что будет, то будет! Е$ись оно конем!

И — вдруг: е@оц! Ефремов — убийца! Вот, новость! Охуеть! Неужели, блядь, пьяница и наркоман? Невидаль, сцуко, первый и самый ужасный на всю Россию! Он! Во! Всем! Виноват!

Среди нас, шелковые и плюшевые зайчики, никогда-нигде-ниразу-ни-с-кем-только-с-женой-и-то-один-раз-без-кокаина, вдруг образовалось чудовище!!! Заткнитесь, фарисеи! Вам глупо говорить про то, что «кто сам без греха». С радостью камни ваши приму и со смехом, ибо без права кидаете вы их!

Случилось страшное. Но не «страшное-страшное», а обычное русское страшное. Ежедневное и, ненужно врать себе, никого не удивляющее.

Мне лично ужасно жаль Сергея Захарова, погибшего под ударом ефремовского джипа.

Я с **Леной** и сыном ее ~~Мишей~~, в отличие от праведно вещающих по всем каналам и утюгам, доехали в день его похорон, 11 июня, до маленького сельского кладбища в деревне Кузьминское. Там гуляют петухи и нет никакого хайпа. Там еще ржавый трактор стоит. Почему доехал? Потому, что Ryazan Lives Matter, и Efremov Life Matters. А если нет — то нахуя?

Сергей Воронин, музыкант:

У нас у всех случаются проебы, ошибки и даже с тяжелыми последствиями. Вопрос, кто их совершил. Да! Трагическое стечение обстоятельств. Да! Один был нетрезв. Да, он был явно неправ. Но он мой друг, и он хороший человек, которому дико не повезло. Так бывает. И уже те, у которых в крови, устроили травлю. Ай-Ай-Ай... У вас-то как с совестью?

Яна Поплавская, актриса:

Когда кто-то считает, что он выше других, что он поцелован богами, что у него больше прав, чем у всех остальных, тогда происходят непоправимые вещи. Отобрана жизнь человека. Разбита жизнь его семьи, которая потеряла отца, кормильца, родного человека, опору! Потеряла по вине человека, которому захотелось напиться, а потом сесть за руль. Потому, что он был уверен, что его отпустят даже если остановят, вернут права, даже если их отберут. И конечно, он не подумал, что это обернется трагедией и для его собственной семьи тоже. Все знали, что у Ефремова алкогольная зависимость, тем не менее, потакали ему, вытаскивали из неприятностей, а хуже всего то, что они же ему и наливали, пили вместе с ним. Я знаю Мишу с детства. Знаю все его положительные и отрицательные стороны. И должна сказать, что он очень одаренный, талантливый человек. Сейчас многие кричат — "нужно отобрать у Ефремова все награды, лишить звания Заслуженного артиста!".

Тут я выскажу свою позицию — вот это бред! Творческая, профессиональная деятельность в данном случае не имеет связи с тем поступком, который он совершил. Ведь народное признание артист получает не по блату, а своим трудом, своим талантом. Зритель голосует за любимцев купленными билетами, аншлагами, аплодисментами. Это нужно признать.

Но и нужно помнить непреложную истину: если ты стал примером для многих, если тебя любят и уважают, не подведи, оправдай это доверие. Люди смотрят на тебя и на твои поступки. Будь достоин их уважения.

Но когда человек совершает преступление, суд должен быть справедливым. Не может быть никаких скидок, поощрений и сожалений. Отнята жизнь и за это нужно заплатить по закону. Фемида слепа, она не видит ни заслуг, ни орденов, ни привилегий.

Мне очень жаль, что это произошло. Жаль Сергея Захарова и его семью, но жаль и Михаила Ефремова и его близких. Очень тяжелая, очень страшная новость. Лучше бы ее не было.

Иван Охлобыстин, актер:

Братья и сестры! Как православный христианин, хоть и самого низшего пошиба, но что есть... Так вот: как православный христианин я должен ненавидеть грех и любить грешника, потому что Христос пришел спасти в первую очередь грешников. А первым в раю, как документировано Святым Евангелием, был убийца и вор, который не позволил оскорблять другому приговоренному разбойнику Христа. Мол: зря над ним насмехаешься и его оскорбляешь. Мы за дело умираем — грабили, убивали, а он за идею на крест взошел!

Миша не благочестивый разбойник и тем паче не **Христос**. Миша — заблудшая овца, точнее — пьяный баран, несущийся напролом. Парадокс заключается в том, что именно таким его и любили в последнее время, именно таким восхищались. Ах как он Путина пропесочил! Какой гусар! И пьющий, как мы с тобой, Коля! Ну, мужик! Ничего не боится! Миллионы просмотров.

Каждый лайк под этими просмотрами был подтверждением того — каким мы любим Ефремова. Те, кто подливал, — уже исполнители. Мы сами приговорили Ефремова. Мы пожинаем плоды нашей духовной неустроенности.

Судите сами: государственные каналы и социальные сети полны оголтелой пошлятины, но по-прежнему имеют высокие рейтинги. Кто смотрит всю эту грязь? Мы и смотрим! Нас приучают радоваться чужой беде, наслаждаться неудачами других. Нас воспитали на этом полупорнографическом шапито, где одну из ведущих ролей, по-нашему же выбору, играл Ефремов. Играл так талантливо и самозабвенно, что утратил здравый смысл, здоровье, свободу и шагнул одной ногой в ад.

Что по факту: погиб человек, нет, погибло два человека — Сергей и Михаил. Невинная жертва и конченный человек. И у того, и у другого есть семьи. Они не должны пострадать от ненависти, разжигаемой нечистоплотными средствами массовой информации. Они жертвы. И те и другие. Им нужен мир и любовь, а не хайп на крови.

Нам же всем следует пересмотреть свое отношение к нормам общественной морали. Она не только в том, чтобы за собой, после шашлыков, в лесу убирать, она еще в сострадании к любой человеческой жизни, даже такой, как Михаил Ефремов. Пусть его осудит суд, мы уже на этом этапе не нужны. Это такой злой урок всем, кто «ходит по краю»!

В общем: зачем жить во зле осуждения, если это приносит выгоду только самому злу? «Блаженны милостивые, ибо они помилованы будут». (Мф. 5:7). Благослови Вас всех Господь!

P.S. На фоне этой трагедии, я проанализировал свое отношение ко многому, в том числе — к украинцам, и понял, что даже святая ярость, от пролитой 2 мая у Дома профсоюзов крови, не давала мне права осуждать весь народ. При чем тут народ!? Это только игры верхушек. Как же это стыдно, братья и сестры!

Позднее Иван Иванович дал интервью, в котором ответил на вопрос: «Друзья Михаила Ефремова отключили телефоны, отказывались комментировать происшедшее. Молчал и театр. Вам не кажется, что таким образом они просто отреклись от него?»:

«Нет, точно не отреклись. Они в очень сложной ситуации. Будучи порядочными людьми, друзья не могли его оправдывать, потому что он убил человека. Не могли и осуждать: он их коллега. В нашем театрально-киношном комьюнити все считают, что он должен ответить по закону. Да и сам Миша хочет в тюрьму, у него синдром Раскольникова. Пользы такое наказание не принесет, но наказать надо. Одеть на него браслет на десять лет и контролировать, чтобы из дома в театр и обратно.

Это ужасная трагедия, в которой частично виноваты те, кто его подпаивал. Но тут тоже парадокс. Вспомните, как все хохотали, когда он читал стихи на злобу дня в проекте "Гражданин поэт". Аплодировали, когда появлялся во хмелю. Его любили именно таким. Пьяненький, вольненький, сам себе король. И в итоге это кончилось трагедией... Там огромная аудитория. Его все любили, все подпаивали. У нас же народ такой — любит своих актеров, и Мишка заслуживал этого. Только благими намерениями выстелена дорога в ад: надо быть очень дисциплинированным, чтобы держать себя в узде. Мы в компании за счет крестин все перероднились. Это не просто профессиональная среда, а еще и большая семья, в которой обязательно кто-то у кого-то крестный".

Не называя имени, **Юрий Борзов** (со-основатель «Машины времени») прокомментировал высказывание Ивана Охлобыстина про «...синдром Раскольникова» о его друге Михаиле Ефремове:

«Без политики, без всякого презрения и осуждения. Просто очень важно. Просто очень тяжело и страшно смотреть эту трагическую клоунаду. Идет показательное убийство человеческой души. Но на этот раз не на сцене, а всерьез, по настоящему, перед Богом и людьми. Человек уничтожает все, ради чего он жил. И пока живет. Ведь все, что происходит в книгах, в музыке, на сцене, на экране — это все об этом: о Совести, о Душе, о Правде... О Чести, о Верности. О том, как быть Человеком, везде и всегда. Все только об этом, начиная с детских сказок и "Детей капитана Гранта". Да ведь и он звал к тому же! Ведь тоже хотел быть голосом и совестью, высмеивал трусость и холуйство, обличал ложь и жадность, лицемерие и бесчестье... Во весь голос кричал: ТАК нельзя!

Но вот, пришла беда, и он говорит: ТАК можно. Вернее, даже не он говорит. Он перепоручил свою совесть и честь другому, "профессионалу", и теперь этот "профессионал" говорит за него.

Но почему? А **Пушкин**, а Черная Речка? А офицерский девиз: "Жизнь — Отечеству, душа — Богу, честь — никому"? Он что, не верит в абсолютную ценность этих абсолютных ценностей?

А коллеги по цеху искусства? Они тоже не верят? Почему никто из них не скажет упавшему другу: брось... Встань! Ничего не бойся. Не ходи против совести, это — смерть. Просто — покайся!

Как ни банально это звучит. И Бог простит, и люди простят. Что, просто? Слишком просто?

Кто-то из этих товарищей написал: *"...синдром Раскольникова"*. И хмыкнул, наверное. Синдром совести. Синдром человечности».

Первый же коммент в Фейсбуке от **Анжелики Стрелки**:

«Хотел быть совестью, читая острые стихи??? Ну, нееет! Совесть — она про все, и про ужасное, и про прекрасное. Совесть не бьет наотмашь, не топчет, не ненавидит. Она освещает порог, через который переступать нельзя! Как нельзя есть, работать, любить, ненавидеть без меры. Все его чтения — холодное ремесло. Нате, получите, презираю! Сегодняшняя ситуация — это просто иллюстрация того, что у алкоголиков и наркоманов душа постепенно разрушается, исчезает совесть, страх, ответственность, любовь. А без любви все ложь и разрушение. Мне очень жаль прекрасного актера, но он ведь и лицедей, и личность, а личность наравне со всеми, и не должно быть исключений, уверток. Увы».

Экс-одноклассник и соратник Борзова **Андрей Макаревич** отреагировал:

«Ребята. Не судите. Во всяком случае сейчас, когда мы знаем не все детали происходящего, а из трагедии устроили ток-шоу. Я знаю Мишу как исключительно порядочного человека. Я не знаю, в каком он состоянии сегодня и может ли адекватно оценивать происходящее. Про адвокатов (обоих сторон) могу сказать только одно — лишил бы лицензии. Навсегда. Анжелика, умерьте праведный пыл. А то бес подслушает (они любят) и вы завтра окажетесь в такой же ситуации. И насладитесь сполна всенародным обсуждением вашей беды».

На это Юрий Иванович Борзов заметил:

«Адвокаты — просто литературные типажи. Надо же было обществу вырастить такую пакость! И трудно представить что-то более губительное...».

Замечу: я с обоими адвокатами приведенные пассажи обсудил. Равно как и заявление Евгения Сатановского — «У меня такое впечатление, что врачам надо уже обследовать не Михаила Ефремова, а адвокатов. По крайней мере, Пашаева, хотя если Добровинского тоже вылечат, то тоже хорошо. Но Пашаева — точно. Хакеры, которые воздействуют на бортовой компьютер внедорожника... Не знаю, а инопланетян там не было, никто не видел летающую тарелку в этот момент над Садовым? Позор! У меня появляется ощущение какого-то сюрреализма. Бред сивой кобылы, цирк на конской тяге!».

Детали — ниже.

ИМЕНИТЫЕ КОЛЛЕГИ

Естественно, не промолчали и мои коллеги, журналисты.

Эдуард Багиров:
Я **Мишку Ефремова** давно знаю и, чего скрывать, очень люблю. Его невозможно не любить. Потому что он искренний, чистый, светлый, тонкий, звонкий и прозрачный, плюс по-настоящему великий русский артист. Был. До вчерашней ночи. Теперь он уголовник и душегуб. Хрен знает, где он смог так повредить карму, что ему аж труп в биографию прислали. Да еще в такой лютой форме. И даже рука не поднимается написать, что мне его жалко. Потому что — не жалко. Не суйтесь пьяными за руль, блядь. Хуйли тут еще непонятного?

Отар Кушанашвили:
Актер-убийца; не думал, что доживу до такого оксюморона.
Мои соболезнования Семье и Друзьям безвинно, трагически, бессмысленно, жесточайше убитого парня.
Я приятельствовал с МЕ, и я не буду врать, говоря, что он не производил приятнейшее впечатление.

Но он УБИЛ ЧЕЛОВЕКА.

И УБИЛ СЕБЯ.

Все остальное — суесловие.

Роман Бабаян:

Ефремов должен ответить, но не надо сейчас пинать его и на каждом углу поливать грязью. Сергея это не вернет и семье его легче не станет. А возмущаться будет уместно и нужно, только если наказания не последует. Но оно будет. Не сомневаюсь.

Семён Оксенгендлер:

Честно скажу, что мне не хотелось писать о вчерашней трагедии, случившейся на Садовом кольце в Москве. Михаил Ефремов стал виновником аварии в центре Москвы: он развернулся через сплошную и практически в лоб столкнулся с небольшим фургоном. Я смотрел новости, видео, сводки, я надеялся… Надеялся, что пострадавший выживет, что ему будет оказана вся необходимая помощь, выплачены все компенсации, будут принесены все извинения, а Михаила Олеговича поругают, но несильно. К сожалению, Сергей Захаров сегодня погиб, все… это горе для всех. Никакие компенсации, извинения и всё, что вчера казалось возможным, сегодня невозможно даже близко. Ничего не вернет человека в семью.

Михаил Олегович великий актер, заслуженный артист России уже 25 лет, режиссер, сын величайшего артиста и создателя театральной школы Олега Ефремова, отец шестерых детей, которые достойно продолжают династию. Я очень люблю Михаила Олеговича актера, Михаила Олеговича чтеца, Михаила Олеговича режиссера!

Но в аварии виноват не заслуженный актер Михаил Олегович Ефремов, а пьяница #ефремов.

Мне горестно от того, что погиб человек. Простите, но мне безумно обидно, что скорее всего мы не увидим прекрасные спектакли в театре "Современник" с участием великого актера Михаила Ефремова, не услышим, скорее всего, #гражданинхороший и #гражданинпоэт из #юрийгагаринводнословосмаленькойбуквы.

Не оправдываю Ефремова, но хочу сказать последнее, меньше года назад у него умерла мама, **Алла Покровская**. В интервью **Юрию Дудю** он рассказывал, насколько она важна для него. Не представляю, что значит перенести смерть мамы, когда вы невероятно близки, и не хочу этого представлять.

Хочу закончить фразой создателя театра "Современник" **Олега Ефремова** из фильма *"Берегись автомобиля"*:

"Он конечно виноват, но он не виноват, пожалейте его товарищи судьи, он очень хороший человек!"

Михаил Ефремов великий актер, я в этом уверен. Был на множестве его концертов и спектаклей, видел много фильмов с ним. Сейчас на него польется куча говна, я уверен, но, если можно немного его говна мне, отгрузите, пожалуйста, ко мне пока что не прилипает. День и так говно!

Игорь Прокопенко:

...Я видел его с отцом **Олегом Ефремовым** в одном спектакле во МХАТе. Это был «Борис Годунов»... Конечно, все шли на отца, но молодой сын сильно добавлял интриги, и народ валил валом... Глядя на Ефремовых — отца и сына, — все говорили: звезда от звезды недалеко падает... Правда, уже тогда имелся в виду не только талант...

Второй раз живьем я увидел его — на четвереньках... Отца уже не было. Он уползал, в прямом смысле этого слова, с банкета после награждения одной из российских телевизионных премий... До трагедии, которая случилась вчера, — оставалось 22 года...

Художник и алкоголь! Нет повести печальнее на свете... Тут список от **Есенина** – до Ефремова... Не буду рассуждать о том, что алкоголь дает художнику... В чем помогает и почему наиболее талантливых алкоголь так часто сводит в могилу?... Пить или не пить — дело всегда личное... Но вот художник и руль — это уже другой поворот. Тут экзистенциальные сложности профессии, которая

непременно требует выпить, — не оправдание...
Потому что с вероятностью 50 на 50 — на кладбище отправляется совсем не тот, в кого метила судьба... Миша стопудово родился в папиной рубашке! Ведь сегодня, после вчерашнего, его уже могло не быть... И можно не сомневаться, что самый лучший режиссер уже сегодня расписывал бы мизансцены прощания и самая лучшая ведущая уже примеряла бы скорбь... Просто на его месте оказался другой... Похороны в Рязани вызовут не прощальные аплодисменты, они вызовут проклятия... Проклятия простых людей, ведь на месте парня в «Газели» мог оказаться любой... Миша, он опять вышел сухим из воды!...

Гул затих, я вышел на подмостки... Задумаемся, скольких талантливых и знаменитых любимцев публики регулярно выковыривают сотрудники из-за руля в состоянии, несовместимом с жизнью? Почему? Почему они, выпив, так легко садятся за руль?... А я отвечу... Потому что у нас ведь поэт в России — больше, чем поэт... Сколько наших «экранных» героев, в жизни, на самом деле, — опустившиеся алкоголики, бытовые насильники, садисты, хронические хулиганы? Никто и никогда не задается вопросом: а может быть, эту опустившуюся шваль не стоит звать на роль героя?.. Ведь дети смотрят не только кино и телек, но и интернет?..

Сколько удостоверений-«вездеходов» дарится «властителям наших дум» ведомствами, заинтересованными в бесплатных корпоративах? Сколько блатных номеров, которые не имеет права останавливать рядовой гаишник, — роздано?.. Сколько пьяных реплик, типа «командир, ты меня не узнаешь?» — остается на видеорегистраторах без ответа... Теперь приходит час расплаты... После **Мамаева и Кокорина**, я думаю, Миша — сядет... Я не желаю ему зла, но, думаю, в его случае это был бы лучший выход... Завязка даже на пару лет — творит чудеса... Более того, я покушусь на святое, но если бы после чудовищной аварии, которую устроил **Высоцкий** на Ленинском проспекте, его бы не стали прятать, а посадили без доступа к «дури», возможно, он был бы жив до сих пор... Поклонники таланта — отмазали, и очень скоро все кончилось пышными похоронами...

Возможно, Мише повезет, и он — сядет... Правда, это не вернет угробленной жизни... Нет, не по пьянке, а от многолетней привычки к безнаказанности, а еще от внутрикорпоративной востребованности, которая сильнее таланта.

Ну что сказать post factum? Мише «повезло» — он таки сел. На «семерочку». Все, жаждавшие возмездия, полагаю, удовлетворены

Отметился в тот день и я. Вот тот пост:

«Несколько лет назад главред журнала Story Лена Кузьменко задумала обложку с Ефремовым. Заказала мне текст. Интервью + резюме. Материал не получился лестным и/или восторженным. Надеюсь, в меру ироничным. С элементами доброжелательного троллинга. Опубликовал в ФБ несколько фрагментов той подобложечной работы. Тупо копипастом. Без купюр или актуализации. Выслушал массу упреков. Мол, оправдываю убийцу. Журналистка из Израиля даже сочинила пост, в коем утверждала, что-де, доказываю невиновность актера. От меня официально отписался Андрей Добров и с ним заодно еще сотня людей. Убедился очередной раз я в могучей силе контекста. И в непобедимости стадных инстинктов микросоциума.

Оправдания случившемуся нет и быть не может. Сам все признает. Но! Но я не готов смириться с тем, что люди, знающие его лишь "по картинке", величают Михал Олегыча не иначе как "куском блевотины" и "подонком". Не знаю, почему Ефремов заслужил такую реакцию. Несчастный и больной артист. Уверен, что гложет себя изнутри. Убийцей его назовет суд (теперь уже ясно, что — в отличие от Меладзе, Сукачёва, Радзинского и тысяч других — реального срока не избежать и не откупиться деньгами, коих у него "до хуя"), но тех, кто без тени сомнения темпераментно величает Михаила "тварью" — буду сторониться... И это не про «наше все», что «милость к падшим призывал», нет, это не в рифму, — просто быть убийцей и замышлять убийство не есть одно и то же... Блаженны милостивые».

Из комментов к этой записи:
«Не понятно, что все обсуждают столько дней... "Будь ты хоть негром преклонных годов..." Есть ст. 264, в ней соответствующая часть. Там все сказано. ОТ, ДО. Поклонники прекрасного, так часто требующие "правового государства" и прочих прелестей, по идее, должны бы замереть в ожидании удара молоточка Фемиды и в случае отступления от норм законодательства скакать на Сахарова, или куда там? Так мы и увидим: эта многолетняя преданность идеалам истины действительна или очередной фейк. Пока (да и раньше) похоже на второе. Но посмотрим. Подождем демонстраций против басманного правосудия».

«Талантливый, бесспорно, обаятельный, бесспорно. Что случилось — то случилось. Но я не перестану из-за этого пересматривать фильмы с его участием и слушать в его исполнении стихотворение **Геннадия Шпаликова** "По несчастью или к счастью"».

«Я много лет работала психологом в наркологической клинике. Шансы на хорошую ремиссию всегда имели больные с сильной мотивацией. Ефремов же всегда бахвалился своим пьянством. Это не рак, не БАС, не туберкулез. Болезнь не напала на него из-за угла. Он последовательно и настойчиво в это погружался десятилетиями — при благожелательном хихиканьи друзей и приятелей. Вы же пытаетесь представить его жертвой непреодолимого рока. Увы, это не так».

«Пожилой мужик заливает в себя алкоголь ведрами, вперемешку с наркотой, курит, как паровоз и нарушает всякий режим — это вас не волнует. А сейчас привлекли к ответственности и сразу "Ой, выдержит ли сильнейший стресс?" Астма, ИБС — это результат его образа жизни. Вот, попав на зону, бросит пить и употреблять наркотики, возможно, и продлит себе жизнь. Но с убийством человека ему теперь жить. Вот где кошмар. Может и духовно изменится».

Точку поставил мой товарищ, известный поэт Александр Вулых:
«Лет пять, это было бы для него лучшим вариантом, просто в идеале! Но... учитывая то, что Миша неизлечимо болен (а бухает он с 13-ти лет) и все попытки упечь его в алко-лечебницу абсолютно тщетны, останется он с самим собой и со своим грехом тяжким один на один. Хватит ли у него сил справиться со своей собственной бе-

дой, принять наказание как дар Божий и пережить катарсис, став в итоге другим человеком? Вот в чем вопрос».

ГУБЕРНИЕВ О ЕФРЕМОВЕ

С видными журналистами доводилось мне обсуждать громкое дело в эфире своей авторской программы. Фрагмент одной из этих бесед — с комментатором + шоуменом Дмитрием Губерниевым — оставлю здесь.

Помню о твоем высказывании в адрес Михаила Олеговича Ефремова: «Ублюдок-артист должен быть в тюрьме! Подонок и убийца». И это было жестко. Вы не знакомы, стало быть?

— Я с ним виделся несколько раз, шапочно. Моя позиция не изменилась. Он убийца.

Но такие истории происходят постоянно. Вот недавно в Перми 17-летний мажор на папином «Лексусе» сбил девушку, получил условный срок. Почему вдруг Ефремову досталось от Губерниева по полной?

— Вопрос не в том, почему ему прилетело по полной. Вопрос в том, почему всем остальным не прилетает. Мы все публичные люди. Это очень хороший урок для всех нас на самом деле. Да, разные бывают ситуации, в том числе и у меня. Но, ребята, есть такси. Есть московский прекрасный метрополитен. Пожалуйста, сели и поехали, да. Так что ничего личного здесь. Погиб человек. Все.

Сколько дадут Ефремову судьи, я не знаю. Но у меня есть ощущение, что он сядет. Мы все слышали про «Гражданина поэта» (телепроект продюсера Андрея Васильева, в котором Михаил Ефремов читал стихи на «злобу дня», написанные Андреем Орловым и Дмитрием Быковым в жанре политической сатиры. — *«ВМ»*). История, которую так любит наша оппозиция. И флагманом этой истории был артист Ефремов. Теперь он говорит, что «я тут вообще ни при чем, я просто читал эти стихи». И все были разочарованы, потому что думали, действительно, что и Орлуша, и Дмитрий Быков, и Васильев, они такой костяк, все заодно. А оказывается, Ефремов соскочил. Мне кажется, что это еще немножко предательство тех, кто в него верил.

И, может быть, эта история заставит задуматься не только тех, кто собирается сесть за руль пьяным, но и тех, кто потом будет принимать решение по отмазыванию. Потому что огласка и общественное мнение играют огромную роль.

Тебе ни разу не приходилось пользоваться статусом телезвезды для того, чтобы утрясти те или иные дела?

— Это просто стыдно, как мне кажется. Я езжу в нормальном состоянии за рулем. Естественно, бывает, когда работники ГИБДД, например, проверяя документы, говорят, езжайте, пожалуйста, Дмитрий Викторович, кто-то просит сфотографироваться, автограф дать и так далее. Но у меня все документы с собой, они в порядке.

НЕВЗОРОВЩИНЫ НЕМНОГО

Александр Невзоров, размышляя о Ефремов-ДТП, заметил:

«Мне не хотелось говорить на эту тему, потому что я, как человек глубоко безнравственный, не считаю, что перед законом все равны.

И не считаю, что все должны быть равные. А вот подобные высказывания про равенство перед законом в России, они вообще указывают на некоторое слабоумие. Вот чего здесь никогда не было, и, я надеюсь, не будет, так это равенства всех перед законом.

Более того, меня удивила, конечно, капризность общества. Оно хочет, чтобы был и великий актер, и чтобы он был и не алкоголик, и не наркоман. Вот много хочет, так не бывает. Большие артисты, как правило, большие артисты абсолютно не укладываются в представление обывательские о добре, зле, приличиях, поведении.

Я не оправдываю Ефремова, и я его не осуждаю. Я вам докладываю. Тут надо выбирать: либо трезвенник при галстуке, партбилете и никогда даже в лифте не нассыт — либо, извините, великий актер. Одно из двух. Совмещение невозможно. В самой основе артистического ремесла есть эпатаж и нарушение норм. Если этого нет, то нет и большого артиста.

И со временем, конечно, совершенствуясь в своем ремесле, артист совершенствуется и в безобразиях. Это совершенно неизбежно. Он не может быть иным, иначе он не будет заводить, он не будет, как выражаются сегодняшние молодые люди, заходить.

<...>

Терзайте Мишку, сажайте Мишку — и оставайтесь с **безруковыми, безликовыми** и другими **певцовыми**. Это ваш выбор. Может быть, кстати говоря, это и правильный выбор, потому что все эти артисты, они тоже замечательные, они великолепно исполняют обнулительные ролики. Если это то, чем согласна довольствоваться публика, то, конечно, нужно такие гнойные язвы общества, как Мишка, каким-то образом выжигать.

Но, заметьте, даже своим прощальным бенефисом Ефремов на Смоленской площади сделал счастливыми миллионы людей. Потому что он дал возможность алкоголикам, ворам, проституткам, холуям, проститутам, расхитителям, жуликам, проходимцам, то есть так называемой элите, блеснуть праведностью и благопристойностью, и еще как блеснуть — яростно осудить.

Переставши безобразничать, артист, он тускнеет, превращается во что-то очень хабенское»

Я этот вброс запостил у себя в Фейсбуке. И вот какие отклики показались мне любопытными.

Смотря что имеется в виду под словом «безобразничать». А **Хабенский** *как раз безобразничает — хамит журналистам. Правда, хамство теперь считается нормой.*

Все же Невзоров умеет хлестко обозначить явление. Припечатал.

Тихонов, Леонов, Ульянов, Лановой, Михайлов, Смоктуновский, Гафт, Евстигнеев, Этуш, Зельдин, Броневой, Дуров *и многие другие. Список велик. Они тусклые? Не скандалили, не ужирались в хлам, не вели себя как свиньи. Значит, бесталанные? Так получается?*

Не перевариваю Хабенского, неужели люди этого не видят, что он насквозь фальшив, неискренен, пафосен, продажен и т.д.

Ой, ну да, а Ефремов на его фоне, конечно, герой. Вы хоть биографию Хабенского знаете? Один воспитывал ребенка, когда жена умерла, а Ефремов всех бросал и не признавал, да и сейчас не очень детьми занимается. Никиту признал только в 12 лет, у меня с ним дочь училась с начальной школы в одном классе — как мальчик страдал, помню. Талант, конечно... И роль хоть одну выдающуюся его назовите.

У вас в голове клише. Это первое. Второе — вы смотрите на показушность Хабенского. В т.ч. и на Благотворительный фонд. Что там творится... Вы же не в курсе. Про то, кто и почему мне нравится, — я могу говорить и писать, вы так же можете высказываться о своих предпочтениях.

Ну да, говорит, что избранным закон не писан и этого надо придерживаться, а то получать от талантов нового произведения не будем! Смешно и цинично! На таланте и публичном человеке больше ответственности перед обществом, в котором он живет, а особенно моральной и этической! Воспитывать с детства надо, тогда таких получать не будете. Так что все усилия на детей: образование и культу-

ру, моральные нормы, тогда и другим будет общество через 15 лет!

Но тот факт, что артист — и алкоголик, и наркоман, еще не значит, что он великий. Да, артисты и другие люди богемных профессий часто не укладываются в традиционные представления о морали, тем не менее, закон — один для всех, и нарушать его никому не позволено. Тем более с такими последствиями нарушать.

*А **Алексей Баталов**, **Михоэлс**, **Качалов**, **Смоктуновский**, **Евстигнеев**, **Симонов** (петербургский), **Ильинский**, **Черкасов**, **Толубеев** и тьма других?... Или — что-то не так?*

Достаточно талантливых — и даже вполне себе великих — актеров и других людей творческих профессий, не отягощенных алкоголизмом, знала история. Алкоголизм — это совсем не элитарный «недуг», землекопам он точно так же свойственен. Я считаю, что нет оправдания алкоголикам никакого, даже наследственность в этой ситуации — не оправдание. Если бы они были страдальцами, а ведь они этим своим «недугом» наслаждаются по полной. Страдают окружающие — супруги (обоих полов), родители, дети, соседи, коллеги, участники дорожного дви-

жения и пешеходы. *То же самое касается и наркоманов, и игроманов.*

Те, кто осознают необходимость бороться с этим и предпринимают попытки излечиться, имеют шанс. Остальные — чистое, ничем не разбавленное (даже талантом), зло.

Я не слежу за «творчеством» **Невзорова** *со времен «600 секунд» (давно это было), но когда я случайно напарываюсь на его фото или видео в интернете, такое впечатление, что человек давно уже мертв и вещает с того света.*

Впрочем, я и за творчеством М. Ефремова тоже не слежу, знала просто, что он существует где-то, будучи сыном довольно значительного советского актера **Олега Ефремова**, *и много лет бухает, как сапожник. И вот услышала об аварии со смертельным исходом. Мне не очень понятно, почему он заслуживает какого-то особого отношения к себе со стороны правосудия по сравнению с любым другим пьяным водителем, убившим человека.*

Чем актерская профессия лучше любой другой? Тот, кто развлекает всю свою жизнь зрителей, ни разу не выше курьера, своевременно и аккуратно доставляющего людям продукты питания, или дворника, наводящего порядок во дворе. Какие статусы могут быть у лицедеев? Их когда-то даже хоронили за заборами кладбищ.

А концентрация психических отклонений в этой профессии зашкаливает, это естественно вполне. Какому здоровому человеку захочется проживать чужие жизни одну за другой, помимо своей собственной? На фиг ему все эти фрагментации собственной идентичности?

*Это ложь или глупость. Общество хочет, чтобы великий актер (певец, писатель, акробат) был алкоголик и наркоман, выходящий за рамки. Даже если великий актер не алкоголик и наркоман, общество с удовольствием припишет ему эти сверхчеловеческие качества. Вспомним культ **Высоцкого и Есенина**, вспомним еще советские слухи о невероятной любвеобильности **Софии Ротару** и мифологических дебошах **Юрия Антонова**!*

Просто Ефремов — это такая последняя капелька в переполненной чаше народного терпения. Творческая элита в самоубийственном экстазе потеряла берега. Потому что осиротела без руководящей роли партии, а невидимая рука рынка оказалась фикцией.

Чезаре Ламброзо *в своем труде «Гениальность и помешательство» давным-давно описал* зависимость гения от психических аберраций. Проще говоря — все гении в той или иной степени психи, невротики, шизофреники, алкоголики, наркоманы, гомосексуалисты, параноики, суицидники и эпилептики. Но обратной зависимости нет. Не все психи гении. Ефремов же — банальный кривляющийся алкоголик. Его актерская палитра, приемы — посредственные. Его папа был куда мощнее. Взрослый дядя должен отвечать по-взрослому, без вот этих вот всех «тюрьма для такого человека слишком жестоко». Да, жестоко. Так для этого и существует наказание. Или его в санаторий в Баден-Баден отправить прикажете?

Артист — это психиатрический диагноз, отклонение от нормы, форма шизофрении — «розовые очки», «раздвоение личности», «ранимая натура», «жажда славы» и т.п., не говоря о сексуальности. Эксгибиционизм — самая невинная страсть... Ну и как их общим аршином мерить?

Просто это Невзоров хочет сохранить для себя, Ефремова и прочих особое место в социуме — неподсудны, делаем, что хотим, анфан-терриблим, ругаем власть и получаем от этой власти кучу денег, называем свой народ быдлом *и так далее. Потому что «мы такие особенные». Но вот, похоже, терпелка сломалась.*

Наверное, я не так вижу данную проблему. У меня нет права защищать Михаила Ефремова, да, он совершил правонарушение в нетрезвом виде, понесет наказание, но не понимаю вас, русские люди, где ваше сострадание, что же вы, как коршуны, обрушились на него? Обвиняете, хотите, чтобы актеры были Богами, вели себя прилично, хотите интересных фильмов, а сами себя как ведете? А теперь подумайте, что бы было, если данная ситуация случилась с вашим братом, мужем, женой, так бы вы были правильны, справедливы в своей агрессии, так же строго требовали наказания для своего близкого? Давайте будем ЛЮДЬМИ!

Ознакомились? Ну что мне добавить? **Алексей Вишня** задал мне там риторический вопрос: *«Ну хорошо, а в сравнении с отцом, кто лучше артист?».*

Мой экс-коллега по «МК» **Александр Перов** справедливо заметил:

«Я, пожалуй, не стану перечислять актеров (и просто талантливых, и даже гениальных в том числе), которые рассмеялись бы — а может, просто мягко улыбнулись — в лицо г-ну Невзорову с его «определениями». И мне все рав-

но, *действительно ли больной дурачок этот бывший репортер, или просто пошлый дешевый понтярщик».*

Лицемерие — последнее прибежище добродетели — эту максимуму никто не отменял. Тем не менее спрос рождает предложение. Поклонники и завистники, фанаты и недоброжелатели, все желают знать не только детали жизни, но и подробности смерти.

При этом в массе своей досужие потребители информации ханжески отказывают своим кумирам в праве быть грешниками. В том смысле, что не желают признавать, что звездам отнюдь не чужды человеческие слабости & пороки. Что они не святые. Любят, как и большинство человеков, вкусное, запретное, вредное. Доминирует мещанский тезис: «Сделайте нам красиво!». А за какие такие заслуги?

Сегодня послушно гламуризировать наркотически-порочный стандарт истеблишмента (не только российского, глобального), чтобы удовлетворить зрителя/читателя. А завтра, пожалуй, и даровать Жизнь Вечную?

В 1910 году питерский пиит **Саша Чёрный** риторически вопрошал:

Бессмертие?
Вам, двуногие кроты,
Не стоящие дня земного срока?

Пожалуй, ящерицы, жабы и глисты
Того же захотят, обидевшись глубоко.
Мещане с крылышками! Пряники и рай!
Полвека жрали — и в награду вечность...
*   Торг не дурен.*
«Помилуй и подай!»
Подай рабам патент на бесконечность.

Высоцкий, например, выше помянутый, не был рабом. Ни Системы, ни морфия, ни судьбы. Гением был. И остался. Остается.

ИНСУЛЬТ

«По приезде в суд актер смог выйти из автомобиля только с помощью судебных приставов и вошел в здание суда, сильно прихрамывая, после чего ему вызвали скорую. После этого было принято решение о его госпитализации» — сообщило 11 августа прошлого года ТАСС.

Запланированное заседание, где мог состояться допрос Ефремова, перенесено. NEWS.ru пояснил, что

«к ухудшению состояния здоровья Михаила Ефремова, которого прямо из здания суда увезла "скорая помощь", могли привести алкоголь, стресс и недостаток сна. Об этом заявил профессор кафедры профилактической и неотложной кардиологии Медицинского университета имени Сеченова **Филипп Копылов.** *По его словам, все эти факторы могли спровоцировать инсульт. Эксперт добавил, что в случаях, когда речь идет о временном нарушении кровообраще-*

ния в мозге, пациент может вернуться в нормальное состояние».

Несколько постов из моей ленты Фейсбука.

Александр Гутин, поэт из Самары:
У мерзости нет дна. **Ефремов** виноват и должен пойти под суд, если выживет, чего я Михаилу искренне желаю. Но плясать на костях получившего инсульт человека — это подло, низко и мерзко. Не будьте тварями.

<...>

Чтобы успокоить взволнованных граждан, я скажу так. Если выяснится, что Ефремов разыгрывал госпитализацию, если выяснится, что Михаил целенаправленно уходит от справедливого наказания, я первый назову его мерзавцем. Но пока это не выяснилось, если у него действительно инсульт или другая проблема со здоровьем, я призываю не юродствовать на эту тему. А вообще с таким адвокатом, как **Пашаев**, и прокурора не надо. Надеюсь, на примере этого дела все увидят, какой он мерзкий хайпожор, и никогда не станут к нему обращаться.

Юрий Лоза, надомник:
Отказался комментировать госпитализацию Ефремова. Да и постановка вопроса показалась некорректной — настоящий ли это инсульт, или очеред-

ной спектакль. Дело в том, что накануне Михаил «на голубом глазу» сказал — мол, ничего не помнит, хотя до этого полностью признавал свою вину. Думаю, ответ мы узнаем скоро, потому что данное заболевание отражается на всем — на внешнем виде, речи, памяти, подвижности и т.д. Мой отец перенес инсульт очень тяжело, вернувшись из больницы человеком с ограниченными возможностями. Вообще-то здоровье — это не тема для импровизаций, здесь все серьезно. Вряд ли кто-то согласится разыгрывать подобные сцены, хотя...

С актерами никогда нельзя быть уверенным — живет ли он по-настоящему или играет роль. Такая уж профессия. Больного изобразить несложно, для этого не понадобится знание системы Станиславского, достаточно элементарных актерских навыков. Но я не собираюсь сыпать догадками или строить какие-нибудь предположения. А значит, никаких слов кроме пожелания скорейшего возвращения в строй.

<...>

Мне написали — а сам-то ты, мол, безгрешен, раз говоришь, что по отношению к Ефремову должно быть применено обычное правосудие? Сам-то, мол, никогда не пытался использовать свою популярность для того, чтобы отмазаться от наказания в случае нарушения? Отвечаю — только вчера использовал.

Еду по узкой дороге, одна полоса туда — одна сюда. Передо мной тащится длинная фура, на-

213

встречу никого. Пошел на обгон, но посредине фуры увидел, что прерывистая заканчивается и начинается сплошная. Сбросил обороты и вернулся в свой ряд, наехав левым колесом на начало сплошной. «Вдруг откуда ни возмись»... весь важный такой, полосатой палочкой машет.

«Нарушаем, — говорит — товарищ артист, придется составить акт и отправить его в суд».

Я ему — извините, мол, не со зла и без умысла.

Он мне — закон, мол, один для всех!

Я ему — не боитесь, мол, что коллеги засмеют, когда явитесь давать показания по делу об артисте, который из-за длины фуры не успел перестроиться и «зацепил» левым колесом самый край сплошной линии? А на Вас еще и журналисты налетят с вопросами — Семё-ён Семёныч, он же на край сплошной наехал, а не Вам на ногу, может, хватило бы простого внушения?

В общем, отделался компакт-диском с автографом и дарственной подписью: «Спасибо за понимание!». Отмазался популярностью, как скажут многие недоброжелатели.

Провинциальный медик со смешным псевдонимом, который не считаю нужным здесь озвучивать:

Каждый человек мечтает прожить счастливую жизнь, и каждый идет к счастью по-своему, как умеет, как понимает. И далеко не у всех получается, очень у многих. Я сразу сказал, после той аварии, что не считаю Ефремова злодеем, но хочу, чтобы он был обязательно наказан, как говорится, по всей строгости закона. Но боюсь, кара ему досталась похлеще тюрьмы, ибо инсульт — это инсульт, одна из самых страшных болезней, я навидался, как он превращает людей в овощей, и бывает, что в таком вегетативном состоянии люди существуют, не живут, годы — мучая себя и близких. Желаю Михал-Олегычу поправиться. А дальше видно будет.

Режиссер Виталий Максимов:

«У нас, у всех — одна проблема — Михал Олегович Ефремов!» Эту дружескую эпиграмму написал лет десять тому назад **Юрий Стоянов**. Она оказалась пророческой, так оно и вышло. Михаил ужасно оступился — погиб невинный, хороший человек. А в СМИ тут же начался, как уже неоднократно бывало, предварительный суд. А если точнее — травля. Под видом поддержания всеобщей справедливости и дабы ни в коем случае Ефремов — виновник ДТП и гибели водителя, «не отмазался», а на самом деле, потому что появилась возможность отомстить за другое. Полностью отвергая досудебную презумпцию невиновности, федеральные СМИ кинулись наперегонки судить, рядить, короче — гнобить Ефремова, не стесняя себя в словах и выражени-

ях. Как только его не обзывали в телеэфирах люди, которые называют себя журналистами! Они сдуру, иначе не назовешь, посчитали себя выше российского уголовного суда, вперед него давая определения деяниям подследственного, комментируя случившееся и происходящее с особой мстительной, злорадной жестокостью. Остальная же свора «желтых» вот уже два месяца кормится за счет случившейся трагедии.

Да, Михаил виновен, и теперь сам себя осудил, не дождавшись приговора. Инсульт. Он всё время домашнего ареста отказывался от медицинской помощи и по-настоящему, а не актерски раскаявшись, страдал. Проще говоря, его замучила совесть, которая во многом отсутствует у тех, кто поспешно судит других, не замечая собственных грехов.

Я высказал сугубо свое личное мнение и никому его не навязываю. Зная Мишу в течение сорока лет, воспринимаю его таким, какой он есть на самом деле. Мне искренне жаль погибшего Сергея Захарова. Мне жаль своего старого товарища... Остальное должен решить суд, а не какие-то далеко не безупречные выскочки, так старательно «формирующие» общественное мнение.

Актриса Юлия Ауг:
Мало к кому я испытываю такое презрение и брезгливость, как к адвокату **Пашаеву**. Решала,

сотрудник ФСБ в звании, взяточник и вымогатель, который уничтожил репутацию **Михаила Ефремова** по заданию конторы. Тварь.

Телеведущая Наталия Метлина:

Про **Ефремова.** Наконец-то он поймет, что суд — это не сцена, и люди в обычной жизни умирают по-настоящему, хлоп, и нет человека. Нет его совсем. И остаются сироты, вдовы, им не выдают костюмы скорбящих в костюмерных и за зарплатой они не приходят в кассу театра.

И суды настоящие выносят настоящие приговоры.

И восемь колонии — это СИЗО, этап и крытка, может, повезет, в библиотеку зоны устроится.

Я говорила с первого дня — покаяние, извинения перед семьей, финансовая помощь — все это правильные шаги порядочного человека и настоящего гражданина. Но он предпочел заплатить клоуну, который и привел его за решетку. Хотя, я уверена, при первом варианте поведения, получил бы он трешку колонии.

А так — сиди. Но эта история может сохранить чью-то жизнь. Резонанс бьет по мозгам — в следующий раз тянешься за стаканом — хлоп тебе Ефремов по руке, и уже не едешь за рулем. Поучительно...

<...>

Михаил Ефремов сам себе слепил 8 лет колонии. Своими руками и руками адвоката-уебка **Эльмана Пашаева**.

Просто сообщу, что по ч. 3 и ч. 4 ст. 264 УК (ДТП со смертельным исходом, в том числе в состоянии опьянения — в чем обвиняют Ефремова), судя по статистке Судебного департамента при ВС, за 2019 год было осуждено 3177 человек, 1886 — к лишению свободы (из них 1231 — к условному). По реальным срокам ситуация такова:

до 1 года — 202 человека

от 1 до 2 лет — 778 человек

от 3 до 5 лет — 288 человек

от 5 до 8 лет — 36 человек

от 8 до 10 лет — 1 человек.

То есть нужно было очень сильно постараться, чтобы получить 8 лет, будучи заслуженным артистом РФ, благотворителем и любимцем публики. Но Ефремов с Пашаевым справились.

А главное — по итогу процесса актер лишился не только свободы, но и уважения огромного количества людей. Просто вот так.

Горько как-то на душе от происходящего. И душно.

Журналист Дмитрий Соколов-Митрич:
Согласно УПК, судья выносит решение, руководствуясь «законом и внутренним убеждением». 8 лет, конечно, много. Обычно за ДТП со смер-

тельным исходом даже пьяные водители получают не больше четырех, а через 2–3 года выходят по УДО. И я уверен, что если бы **Михаил Олегович** выбрал не «звездного адвоката» с сомнительной репутацией, а обыкновенного, и сам вел бы себя в суде не как мажор, а как искренне раскаявшийся человек, и язык бы общий нашел с потерпевшими — то получил бы раза в два меньше, а то и в три. Но общими усилиями им удалось сформировать «внутреннее убеждение» суда таким образом, что получилось то, что получилось.

Тем не менее я желаю ему удачной апелляции и снижения срока. И еще мне кажется, что со временем он и его друзья поймут — эта горькая пилюля спасительна. Для человека в такой стадии алкоголизма сегодняшний приговор — в буквальном смысле вопрос жизни и смерти, причем тюрьма в данном случае — синоним жизни. На свободе жить Михаилу оставалось считанные годы, если не месяцы — это очевидно для любого нарколога. Наказание (надеюсь, более мягкое) дает ему шанс прожить еще много лет — и в несвободе, и после освобождения. И все это время молиться за **Сергея Захарова** как своего спасителя.

Адвокат и писатель Глеб Нагорный:

Идеальный приговор по **Ефремову**. А **Пашаева** — гнать из адвокатуры. У меня бы он получил лет пять (а может, и того меньше), а через пару лет вышел по УДО. Пашаев его просто утопил. Как можно было опровергать очевидное и так вести себя в суде? Да и «свидетелям» там по паре лет причитается. Это просто адвокатский беспредел и позор. В этой ситуации защита могла быть только одна — каяться, каяться и еще раз каяться. Что изначально и было сделано на Ютубе. И по миллиону всем родственникам перевести. Ефремов бы вышел по минимуму, а так — ну это просто позор адвокатуре.

<...>

Почитал ленту. Смеялся. В деле Ефремова виноват все тот же Путин. Думаю так, тут многоходовка была. Он лет 30 в него ханку вливал (между тренировками по дзюдо), чтобы Миша себе такое лицо наработал. А так да, кровавая гэбня. И инопланетяне, конечно. В белой горячке без них никуда. Прав был **Лавров**. ДБ!

Сценарист Елена Райская:

Можете закидать меня тапками, но мне больно за Мишу Ефремова. Да, он виноват. Да, должен понести наказание. Да, сглупил, поддавшись скотине-адвокату и отказавшись под его опекой от своего первоначального раскаяния (верю, что оно было искренним).

Но восемь лет реальной колонии — это перебор, имхо. Это приговор на потребу кровожадной публике, которая жаждет расправы, а не справедливости. Этот приговор не менее оголтелый, чем **Джигурда** возле здания суда, тетки с иконами и шаман с бубном — в защиту Ефремова.

Достаточно взглянуть на Мишу, чтобы увидеть, что он запутался, слаб, измучен и не очень здоров. Ему и два года заключения — тяжкое испытание и воздаяние за грехи. Когда ему надевали наручники в зале суда, мое сердце сжалось. Когда его выводили из здания суда (посередь кричащей толпы) как диковинного зверя, стало вовсе тошно. Когда я увидела его застывшие глаза над санитарной маской, расплакалась, потому что почувствовала его боль.

Сергей Захаров, увы, погиб. Но Миша-то еще жив. Неужто станем добивать его всем миром?

Кинопродюсер Анатолий Сивушов:
Задумался. 58 общих «френдов» с **Эльманом Пашаевым**. И есть очень достойные люди. Удивлен. Что у приличного человека может быть общего с этим самовлюбленным аферистом??? Опять надо к некоторым друзьям внимательнее присмотреться...

<...>

После вынесения приговора **Михаилу Ефремову** появилось сочувствие к нему и жалость. Но появление на телеэкранах его сестры и племянницы опять оттолкнуло от всего этого семейства. Особенно отталкивающее впечатление производит сестра **Анастасия** — циничная, высокомерная, агрессивная и вульгарная дама...

Блогер и журналист Аркадий Кайданов:

У меня очень двойственное отношение к делу Ефремова. С одной стороны, по-человечески я бы очень не хотел, чтобы его посадили, но с другой, — если его отмажут, страна, конечно, не выйдет, как Хабаровск, но каждый для себя поймет, что ему на хер не сдалось такое государство, где он — прах под колесами того, кто побогаче.

Собственно, это ни для кого и так не секрет, но уж больно нагляден и вопиющ пример.

Публицист Дмитрий Ольшанский:

Подумал тут: немыслимое, совершенно фёдормихалычевское в своем безобразии поведение **Ефремова** в суде («*меня не было за рулем*», «*запись, где я признаю вину, сфальсифицирована*») — связано, конечно, с тем, что он знает главное. Круг его друзей и знакомых — тех самых, что все время говорят нам про важность «репутации», про «мораль», про то, как ценны «приличные люди», — старательно вывернул шеи, заткнул уши и закрыл глаза. Ничего не видим, ничего не слышим, не помним сейчас ни про какого Ефремова. Вы о ком вообще?

И поэтому — можно кривляться.

А что было бы, будь тот же самый человек, и в том же самом суде, и по тому же самому делу, и с тем же фантастическим безобразием — каким-нибудь доверенным лицом **Путина**, депутатом «Единой России», сторонником Крымнаша и тому подобное?

О, какой крик, какой возмущенный вопль стоял бы в воздухе целыми днями, нет, неделями. Сколько постов и колонок прочли бы мы про «стыд», «позор», «такая у нас страна», «это сама наша власть убила курьера», «у нас так можно» etc.

Но не прочтем.

Потому что не тот человек добровольно обмазывает себя экскрементами. А значит, и нет ничего, и нечего возмущаться.

Запоминайте, запоминайте такие истории, чтобы потом знать цену моралистической пропаганде.

А еще подумал: когда **Навальный** был в омской больнице — новости требовались каждую минуту. В раскаленном воздухе висели обвинения — если вы через пять минут, нет, через минуту не выйдете и не скажете, что с ним, подробно, публично, — ух, что мы с вами сделаем, врачи-убийцы.

А теперь он уже давным-давно в Германии, и нет никаких новостей, молчат родственники, молчат врачи, молчат тамошние власти, ни фотографий, ни отчетов перед общественностью, и — вы не поверите, но все хорошо! И никакого нет больше волнения: как он там?

Потому что дело-то было не в здоровье Навального, не в оповещении публики о действиях врачей, не в открытости странного дела, а только и исключительно в ненависти к власти.

И, как только ненавистную власть у постели больного сменила святая заграница, так сразу и выяснилось, что не нужны больше отчеты, новости, пресс-конференции, это все лишнее теперь. Почему? Ну, как вам сказать...

N.N. в свое время написал, что подсознательным желанием дореволюционных русских либералов был отъезд из России, что и случилось. Я не уверен, что это справедливо по отношению к тем временам — все-таки там были земцы, помещики, народники.

Но уж сейчас-то очевидно, что единственный смысл существования нашей нынешней intellegentsia — это религиозный культ заграницы, моления и радения вокруг идола заграницы, тогда как Россия — в рамках того же культа — это ад и царство зла.

И если ты точно знаешь, что человек уже буквально в руках твоего бога, то о чем волноваться, каких отчетов тут требовать?

Главное то, что ад передал его раю, а дальше он, рай, уж как-нибудь сам.

Гулять, так гулять. Ефремов во время эфира
ньюзикла «Гражданин Хороший» на канале «Дождь».
2013 год.
Фото — Валерий Левитин. РИА Новости

Михаил Ефремов в проекте «Гражданин поэт»
в Театре Эстрады. 2011 год.
Фото — Алексей Филиппов. РИА Новости

«Крутые виражи».
Фото из архива Евгения Додолева

Михаил Ефремов в проекте «Гражданин поэт»
в Театре Эстрады. 2011 год.
Фото — Алексей Филиппов. РИА Новости

Быков поддержал товарища.
Фото — Михаил Королёв

Михаил играет... Михаил Ефремов во время прямого
эфира ньюзикла «Господин Хороший» на телеканале
«Дождь». 2013 год.
Фото — Валерий Левитин. РИА Новости

Сергей Гармаш, Михаил Ефремов, Анастасия
Ефремова. Фото из семейного архива Анастасии
Ефремовой

Основатели «Машины времени» Юрий Борзов (фото внизу с Александром Липницким) и Андрей Макаревич, по-разному относясь к Михаилу Ефремову, тем не менее были единодушны в оценке адвокатов. Фото из архива Евгения Додолева

«Свободу?» Михаил Ефремов и креативный продюсер канала 24DOC Вера Кричевская перед началом премьеры фильма «Гражданин поэт». 2012 год. Фото — Григорий Сысоев. РИА Новости

Андрей «Орлуша» Орлов: «При мне ничего подобного не было. Хотя я знаком с Ефремовым больше 40 лет». Фото из архива Евгения Додолева

Последнее интервью автору книги (лето 2019-го).
Фото — Никита Симонов

В студии проекта «Правда-24» с автором.
Фото — Айсель Магомедова

У Нахима Шифрина в архиве нашелся и такой кадр
(«тот самый джип» — заметили комментаторы
в Фейсбуке). Фото из семейного архива Нахима
Шифрина

Евгений Писарев: «Мне кажется, хорошо, что мама всего этого не видела». Фото — Семён Оксенгендлер

Карен Шахназаров: «Сочувствую по-человечески в силу того, что знаю с малых лет, но, конечно, его поступок оправдан быть не может». Фото — Антон Великжанин

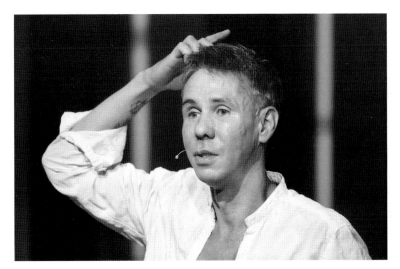

Алексей Панин: «Не дай бог, если бы на месте Миши оказался Безруков, Хабенский – эти путинские, этого вопроса, сидеть в тюрьме или нет, не было бы».
Фото — Никита Симонов

Дмитрий Губерниев: «Ублюдок-артист должен быть в тюрьме! Подонок и убийца».
Фото — Антон Великжанин

Александр Добровинский в студии канала «Москва 24».
Фото — Евгений Додолев

Эльман Пашаев в прямом эфире с автором книги.
Фото — Никита Симонов

Сын погибшего в ДТП Виталий Захаров и его
поверенный Сергей Аверинцев в гостевой канала
«Москва 24». Фото — Евгений Додолев

Михаил Ефремов в роли Билли «Выкидыша» (лидер анархо-панк-группы «Дисфункционалы») в сцене из спектакля «Анархия» в постановке музыканта Гарика Сукачева в театре «Современник». 2012 год.
Фото — Сергей Пятаков. РИА Новости

Актер Михаил Ефремов на дне рождения журнала
«Русский пионер». 2012 год.
Фото — Валерий Левитин. РИА Новости

Роль крайняя, но не последняя.
Фото — Александр Шпаковский

Религию сложно критиковать. Это ведь вопрос веры, а не знания.

Но я в этого их бога не верю, и никому не советую.

А еще подумал: полезно помнить о том, что первый шаг в пропасть десятых-пятидесятых годов двадцатого века, когда в России по разным причинам безвинно погибли многие миллионы, — этот шаг был сделан, когда в Петрограде в дни Февраля произошли убийства полицейских.

Именно пристав **Крылов**, погибший на Знаменской площади, был первым русским мучеником в океане насилия следующих почти сорока лет.

Потому что ключ к уничтожению государства — это разгром полиции.

И очень характерно, что, и сами знаете где шесть лет назад, и в Минске, и в Америке, и у нас время от времени начинается одно и то же: те, кому очень хочется и очень надо, пытаются разжигать ненависть к полицейским.

Армия, спецслужбы, нефть-газ, финансы, дипломаты — все это где-то там, далеко, и ты еще поди разберись, что там происходит и кто виноват.

А полицейский — он рядом, и всегда можно найти того, кто им на самом деле обижен. Кого-то арестовали, кого-то ударили, у кого-то требовали взятку, а где-то в неразберихе открыли огонь по преступнику, а то и по случайному человеку, хотя могли бы все сделать грамотно и бескровно (особенно если судить об этом издалека, по газетам и через Ютьюб).

Конечно, все это правда.

Конечно, надо наказывать и увольнять за воровство или жестокость.

Но в то же время ни на секунду нельзя забывать, что именно те, кто день за днем орут про «плохих силовиков», — это самые главные злодеи и есть, именно они, а не скверные опера.

И они ждут момента, когда, наконец, полиция разбежится или капитулирует — там, тут, хоть где-нибудь.

После этого с вами можно будет делать все что угодно.

Обозреватель Владимир Полупанов:
Скоро в суде по делу Михаила Ефремова наступит развязка. Чем ближе день вынесения приговора, тем сильнее крепнет моя уверенность в том, что актер сядет. И сядет надолго. Мне кажется, никто не ахнет и не удивится такому решению суда. **Кокорин с Мамаевым** никого ведь не убили. Но сели. И тоже ведь — люди с деньгами, связями и «заслугами» перед отечеством. Не помогло. Хотя уповать на справедливость нашей судебной системы не приходится, увы. Но чудеса бывают.

Спустя пару или тройку дней после трагедии на Смоленской площади меня пригласили в студию программы **Андрея Малахова** «Прямой эфир» обсудить скандальную и хайповую (уж извините, что есть, то есть) новость. Шел туда, чтобы призвать к сочувствию и милосердию по отношению к оступившемуся актеру. Хотя не являюсь его другом, да и большим поклонником, честно говоря, тоже. Я вырос на другом кино. С Михаилом Ефремовым мы один раз вместе играли в футбол в Сочи на «Кинотавре» (хотя «играли», сказано с большой натяжкой, Михаил Олегович вышел в фойе «Жемчужины» в 10.00 утра в спортивной форме и со стаканом вискаря), и один раз я брал у него интервью. Вот и все мои отношения. Но мне его было искренне жаль спустя два дня после трагедии.

Масса защитников Ефремова говорят сегодня о нем как о великом актере. Странно, я не припомню, чтобы в таких категориях о нем говорили до трагедии. Талантлив? Да, безусловно. Но правильно сказал в разговоре со мной музыкант **Армен Григорян** (лидер группы «Крематорий»): Олег Ефремов, папа Михаила, больше претендует на звание «великий».

Александр Невзоров тоже высказался по поводу истории с Ефремовым, где снова промелькнула мысль о величии:

«Меня удивила капризность общества. Оно хочет, чтобы был великий актер — и не алкоголик, не наркоман. Так не бывает. Большие артисты, как правило, не укладываются в обыва-

тельские представления о добре и зле, приличиях в поведении… Тут надо выбирать: либо трезвенник, при галстуке, при партбилете и никогда даже в лифте не нассыт, либо великий актер. Одно из двух. Совмещения невозможны. В самой основе артистического ремесла есть эпатаж и нарушение норм. Если этого нет, то нет и большого артиста. И со временем совершенствуясь в своем ремесле, артист совершенствуется и в безобразиях. Иначе он не будет заводить. Переставший безобразничать артист тускнеет и превращается во что-то очень хабенское».

По мне, так Ефремов совершенствовался лишь в безобразиях, а не в профессии. Разве мне одному кажется, что у него на лице несмываемая печать деградации? С такой фактурой убедительно можно играть разве что сильно пьющих людей. Игра Ефремова меня совсем не заводит, кстати говоря. Вот как раз он превратился в нечто ефремовское.

Во время записи «Прямого эфира» я спросил у родственников погибшего **Захарова**, почему они не хотят взять деньги с виновника? Они, по крайней мере спустя пару дней после смертельного ДТП, выказывали благородство: мол, «нам от него ничего не нужно». Да и Ефремов, едва протрезвев, записал трогательное послание с месседжем о том, что «нет больше никого Михаила Ефремова». Признал вину и, очевидно, был готов понести наказание, а также помочь родственникам. И даже несмотря на видеокадры поставарийной хроники, где актер предстал в образе «Невменько», все равно вызывал сочувствие. Ну, мужик же! Признал вину, готов помочь родным, отсидеть, искупить вину!

Но потом за дело взялся «адвокат дьявола» некто Пашаев, который с трудом формулирует свои мысли по-русски, не говорю уже о том, ЧТО он несет. Кто посоветовал этого малообразованного, отсидевшего, с плохой репутацией человека актеру? И если я, да и большинство людей, я так думаю, сочувствовали Михаилу сразу после его публичного покаяния, то сегодня даже среди близких друзей артиста масса тех, кто сомневается в своих чувствах к нему. Я бы еще понял уловки адвоката и самого Ефремова, если бы не было многочисленных свидетелей и свидетельств в виде записи видеокамер. Но все произошло чуть ли не в прямом эфире, на глазах у миллионов людей. Теперь же на голубом глазу нам говорят, что Ефремов сидел на пассажирском кресле, а его автомобилем управляли чуть ли не хакеры. Ага, инопланетяне влили в него бутылку водки, запихали в ноздри кокаин и дали прикурить от большого косяка. А потом усадили на пассажирское кресло внедорожника и с помощью внеземных технологий выкатили его на Садовое кольцо. Даже самое больное воображение не может такое нарисовать.

Не очень я понял и пассаж **Дмитрия Быкова** о том, что Ефремов — это жертва нашей с вами агрессии. Не перепутал ли Дмитрий Львович причину со следствием? Отказ Ефремова от своих же слов, непризнание вины и вообще его поведение в суде, которое иначе как скотством не назовешь, — вот что породило агрессию. Мое сочувствие к нему тает на глазах. Я еще лелею надежду, что он все-таки меня по-хорошему удивит. Уж не знаю, как, но надеюсь. Но надежды, честно говоря, мало. Думаю, что у судей примерно такое же отношение к этому балагану, устроенному Ефремовым и его адвокатом.

Глядя на то, как паскудно ведет себя сам актер, родственники жертвы тоже решили не церемониться и не расшаркиваться, выключили благородство и требуют миллионной компенсации. Будто бы заразившись этим скотством от самого Михаила Олеговича. Очень хотелось бы сказать вслед за его великим отцом: «Он виноват, товарищи, но он не виноват…». Но язык не поворачивается.

Никакой Ефремов не великий. Скорее, жалкий.

Алексей Беляков, экс-«Condé Nast Россия»:
Вот же хреновина. Михаила Ефремова буквально вынесли из здания суда. Без сознания. Подозрение на инсульт. Мужик бухал сорок лет, бухал необузданно, дико, безжалостно. И даже не только бухал, судя по всему. Убивал себя всеми

силами. Но весело жил, лихо тусил, и снимался безостановочно. Не говоря о театре и прочих работах. Безотказная пьяная фирма. Рассказывают, что Никита Сергеич, когда позвал его сниматься в фильме «Двенадцать», поставил жесткое условие — не пить. Миша согласился. И не вынес такого режима, сорвался. **Михалков** был в ярости, но Ефремов все отыграл, как положено. И вот какая злая насмешка: когда он не пьет, когда сидит тупо дома — тут вдруг увозят на «скорой». Русский человек живет, пока сильно пьет. Без похмелья и работа не клеится. Как только русский человек бухать прекращает — тут он и разваливается на куски. Нельзя не бухать нашему человеку, вредно для здоровья.

NB Вот что хотелось бы про *русского человека* добавить. **Касьянова** утверждает, что мы (я про русский этнос) как дети.

Что, собственно, отличает ребенка от взрослого человека?

Несформированность понятий. (С пресловутыми Десятью Заповедями в голове не рождаются. Их постигают извне в процессе взросления.)

Неспособность к отождествлению, сопереживанию. (Ребенок, который увлеченно таскает за хвост кошку, не в состоянии войти в ее положение и ощутить, что ей довольно неприятно.)

Отсутствие чувства ответственности за содеянное и за других. (Партократия и ее преемница.)

Неспособность увидеть завтрашний день, то есть оценить последствия тех или иных ситуаций или поступков. (Чернобыли всех мастей.)

Готовность склониться перед авторитетом, причем — авторитетом скорее с оттенком силы, нежели с признаками ума. (Феномен **Ельцина** – тому доказательство.)

Неспособность без внешнего принуждения оставаться в рамках социально-допустимого. (И эти люди не позволяют мне ковыряться в носу! — искренне возмущается мальчик, подглядев через приоткрытую дверь спальни родительские постельные упражнения.)

*«Писатели-деревенщики», в частности, **Глеб Успенский**, в своих очерках оставили живое свидетельство о процессах, происходивших в период разложения русской крестьянской общины. Это — повествования о раскрепощенных от общинных уз людях, бывших крестьянах и ремесленниках, становящихся в новых условиях мошенниками, эксплуататорами и даже наемными убийцами. Г. Успенского, который в принципе очень уважает крестьян, просто поражает полная безответственность этих "раскрепощенных" индивидов, их свобода от всяких моральных ограничений и полное неведение в вопросах нравственности».* (К. Касьянова).

Трудно не признать, что это до боли знакомая картина.

И еще. Я встречался с Александром Добровинским накануне заседания Мосгорсуда, в ходе которого был изменен приговор — вместо 8 лет лишения свободы, суд определил к отбытию 7 лет 6 месяцев лишения свободы с отбыванием наказания в исправительной колонии общего режима. И меня Александр Андреевич огорчил, заявив следующее:

«Ну, раз я обещал вам эксклюзив, сделаю. Смотрите. Значит, когда начался этот процесс, то защита господина Ефремова, а именно господин Пашаев, сказал одну очень интересную вещь, которая меня заинтересовала. Он сказал, что домашний арест, который был у господина Ефремова, это целиком заслуга его, господина Пашаева. Меня это немножко удивило. Честно вам скажу. И причин было несколько. Первая — следователь просил домашний арест. Второе — это домашний арест просил прокурор. И третье, что самое удивительное, что господина Пашаева на том суде не было. Там была госпожа **Шаргородская**.

Я немножко пришел в недоумение, а как, собственно, можно так обманывать. Это было в официальном интервью. Он сказал это. Я своими глазами видел это интервью, читал. Это было интервью азербайджанскому журналу какому-то и так далее и тому подобное. Но я понял, с кем я имею дело. И вот тогда было принято решение пригласить в дело одну очаровательную коллегу, **Анну Бутырину**, которая знала господина Пашаева давно. Они давно работали. И она знала всю тактику и стратегию, которую господин Пашаев будет выстраивать. Она заранее мне рассказала про свидетелей, которые будут участвовать, приблизительно. **Она мне рассказала про инсульт, который будет у господина Ефремова.** Был ли он постановочный? Ну, по крайней мере, моя коллега об этом мне сказала. Потому что в других делах у господина Пашаева тоже были люди с инсультами. И так далее.

И вы знаете, вот эти, этот тактический ход, да, пригласить Анну в процесс, он оказался очень действенным. Потому что мы предполагали и знали абсолютно все. Если помните, когда господин Пашаев отказался, господин Ефремов отказался от своих защитников, то в тот же день я давал интервью и сказал, что это неправда. Но мы знали, что происходит на самом деле. И вместе с Анной мы, считаю, очень хорошо отработали. Ну, собственно, и результат. Помните, я вам сказал результат — смотрит табло. Ну, вот мы получили то, что получили».

ПРИГОВОР

Чулпан Хаматова о реакции на приговор Михаилу Ефремову рассказала в интервью РИА:

«Я могу прокомментировать только с точки зрения сочувствия к Мише, к его судьбе. Это огромное горе: погибли два человека, это так и есть. Все это происходило в таком ожесточении общества, потере каких бы то ни было человеческих качеств. Ни милосердия в этом не было, ни соучастия, ни сочувствия — это было чудовищно. Я считаю, это опасный показатель, опасная черта, через которую наше, российское, общество переступило. Когда с такой яростью бьют лежачего, добивают его камнями, мне кажется, что есть какая-то психическая проблема у этих людей. И это повод задуматься всем».

Я разместил этот абзац у себя в Фейсбуке без какого-либо сопроводительного текста — слишком давно знаком с Михаилом Олеговичем, чтобы иметь

возможность высказаться объективно. Но готов поделиться комментами своих подписчиков:

Да. Падающего у нас толкают с особым удовольствием. Но кто знает, может быть, для **Ефремова**, как бы жестоко это ни звучало, в этом повороте судьбы и спасение. Он ведь саморазрушался со скоростью гоночной машины, и не только физически, это ж алкоголь... Я желаю ему пройти этот страшный период жизни с достоинством и выйти из него еще более лучшим, чем зашел.

Если бы Миша не вел себя так борзо... Ни в момент задержания, ни в суде. Страна ему и посочувствовала бы... Но он себя вел так, как привык еще при папе во МХАТе хамить и двери ногами открывать. Возмездие пришло.

Да хватит вам, уже осудили, срок получил. А вы все распинаете и распинаете. Закидали уже его по самое некуда... И другим наука, да и распинающим надо свою оголтелость унять и помнить пословицу — «от тюрьмы и от сумы не зарекайся». Да и «милость к падшим» проявите, вы же люди...

Да никто особо его не добивал, откуда вы это взяли?! Его добил адвокат **Пашаев**, и многие сочувствовали — откуда и где он взял такого адвоката?! Понятно, что говорили о том, что он пьет, и осуждали это, погиб человек по вине пьяного водителя.

А что, надо было сочувствовать Мише?! Просто жалели, конечно, — сломал себе судьбу!

Вот не пойму! Она что, не понимает: кроме убийства, он весь судебный процесс вел себя по-хамски по отношению к суду, к присутствующим, к свидетелям, к обществу. Опасную черту переступил сам Ефремов. И не надо валить на общество!

Ни одна блядь из комментов не выла у себя на странице, когда ребенка во дворе задавила наглая бабища, которого потом еще и пьяным объявили!

Ясно-понятно, что это мы виноваты. Нам следует закрыть свои грязные рты. Окружить Ефремова теплотой и заботой. Сделать все, чтобы он простил нас, никчемных. Покаяться перед ним. До конца дней своих служить ему верой и правдой. Как же мы посмели осуждать такого великого и несчастного человека, попавшего в беду из-за нас, из-за нашего несовершенства? Сволочи мы. Просто твари. Пыль подплинтусная. Ефремофобы. Гореть нам всем в аду!

При всем понимании несчастья, случившегося с Ефремовым, замечу, что второй, условно погибший, так и не вышел за пределы собственной задницы, даже столкнувшись с реальной драмой, а не клюквенным соком. Не сумел. Ничего не понял, ничего не признал, хамил и плакал над собой.

Все. Мужчиной не был. Убив человека, сам человеком не стал. Вот это печально. Но это — сам, с Господом. Может быть, он простит этот сгусток грязи. Он не без милости. А тут пора, наверное, заканчивать.

Не читают и не чтут **Достоевского** представители нашей богемы. Иначе б не говорили о его смерти, а говорили бы об искуплении и возможном исцелении.

От себя добавлю: готов буду резюмировать только после общения с самим Михаилом. Надеюсь, представится возможность. Мой хороший товарищ, кинематографист и редактор Юрий Шумило, написал пост, который я обещал растиражировать. Выполняю обещание:

Утром сегодня приятельница позвонила, чтоб обсудить новость — по слухам, для Миши [Ефремова] готовят создание аналога театра Советской Армии, но для ФСИН. Т.е. сидя, играть роли на тюремной сцене, а пока, мол, читает пьесу, написанную Ваней Охлобыстиным специально для него.

Я не комментировал ситуацию с Мишей до суда, не очень лежит душа высказываться и после. Судить его уж точно не мне, да и вообще, кидаться камнями права не имею — сам ездил в состоянии и пару раз пробовал кокаин. Но мне отчетливо видна трагедия в том месте, где у человека, по идее присутствует личность.

Мне тоже ассоциативно больно, потому как, проецируя на себя, понимаю — неоднократно бывал в обстоятельствах, когда строй жизни подломился и завтра уж точно не будет таким, как вчера.

Будет хуже, и сильно.

Не стану морализировать — что случилось, то случилось, провернуть обратно не получится. Попробую посоветовать, не потому что дружил и породнился с ним, как Иван, наоборот.

Мишино окружение, в абсолютном большинстве, мои идеологические оппоненты. Так учили в спорте, что хочется противников уважать. Хочется изо всех сил, даже тогда, когда они делают все, чтоб у меня это не получалось.

Итак, непрошеный совет.

Помолчите, а?

Ну хоть недельку-другую. Вы же топите не только Ефремова, вы будите ненависть к себе у всех, кого вы не уважаете, называете быдлом и зверьем, но которые вас кормят, поят, обслуживают и, как ни странно, даже любят.

Дайте нам, быдлу, отдохнуть, выдохнуть, если не забыть про весь устроенный вами цирк с конями и Пашаевым (вами-вами — ваши сидят и рулят на федканалах, ваши придумали и скармливают рейтингам все эти антисанитарные программы), хоть побыть чутка в информационной тишине по этому печально-цирковому случаю.

Давайте все помолчим. И Мише от тишины будет лучше, и всем остальным.

И я помолчу дальше.

Комментировать не надо.

Прорвало и Юрия Давыдова, культового советского рок-музыканта (ЗОДЧИЕ, помните?), цитирую:
С нарастающим омерзением наблюдаю процесс над **Мишей Ефремовым**. Перед нами театр одного актера или «минута славы» адвоката **Пашаева**.

Он главный ньюсмейкер.

Он главный стратег.

Он главный пиарщик процесса.

Он главный распределитель возможной денежной компенсации.

Он главный душеприказчик растерянного, в прострации, Михаила, не произносящего ни слова, видимо, вытребовав себе единоличное право говорить (я с подобными ситуациями сталкивался).

Так вот. Пашаев во всем блеске!!! Абсолютно беспроигрышная фишка!

Какое адвокатское мастерство. То за рулем был не Миша. То это все подстроено ФСБ. То еще много чего, не имеющего ничего общего ни с ситуацией, ни с Мишей, вначале очень достойно эту самую ситуацию принявшим.

То, что Миша выглядит сейчас, мягко говоря, неприглядно, Пашаеву наплевать. Когда будет оглашаться приговор, он уже будет не при делах. Рекламу и репутацию ныряющего в самое беспринципное и безнадежное дело он уже сделал. А это у нас всегда востребовано.

Видите, теперь даже я знаю его фамилию.

Я расшарил реплику Юрия у себя.
Ирина Щербакова из Тамбова заметила:

А еще каждую свою речь заканчивает так: в аварии, где виновником был пьяный водитель, погибли все мои родные. Но когда мы узнали, что у него двое маленьких детей, мы стали ему помогать, чтобы максимум смягчить наказание. Кто мы? Ему-то, если не ошибаюсь, было лет 14–15. И родные все погибли. Просто кощунство какое-то!

Гитарист Андрей Правдин откликнулся:

Странно... говорят о Ефремове как о малолетнем, неадекватном, не дееспособном и т.д., а между тем... он взрослый мужик. Сам себе выбрал адвоката. Сам записал видеообращение. Сам от него отказался. И так далее. Сколько можно устраивать этот цирк. Есть беда. Есть виновник. Есть закон. Будет суд. Вот пусть и решают. Чего вы все все за него так выделено переживаете?

Алла Корсун (Внешэкономбанк) прокомментировала:

А вот интересно, если по результатам экспертизы будет установлено (хотя, возможно, уже установлено), что на подушке безопасности, которая наверняка «выскочила», содержатся биоматериалы (частицы дермы и пота) М.Е., как в таком случае будет изворачиваться адвокат?

NB Можно определить «элиту» как особей, обладающих весомым количеством капитала:
* экономического (газеты, заводы, пароходы);
* культурного (дипломы, звания, степени и т.д.);
* символического (должности, посты плюс неформальные позиции вроде статуса лидера оппозиции и т.д.);
* социального.

Последний — самый интересный вид капитала, поскольку глазом вообще не ловится и переводится на обыденный язык знакомым всем словом «связи», что подразумевает обширные знакомства и умение успешно «коммуникать».

Идея подобной классификации капиталов принадлежит **Пьеру Бурдье**, но впоследствии она была дополнена, расширена и детализирована.

Так вот. Не знаю, какой там расклад с гонорарами (экономический, условно говоря, капитал), но с подачи своего адвоката Михал–Олегыч стремительно утрачивал на наших глазах существенные капиталы — символический + социальный.

ЦИМЕС

Не смог постичь природу почти тотальной неприязни к **Михаилу Ефремову**. Почему? Из-за реплики «Зато у меня денег дохуя», которую хмельной актер молвил после аварии? Из-за украинских гастролей? Из-за совместных экзерсисов с **Орлушей**?

Конечно, пить за рулем — последнее дело, но эпитеты, коими награждают Олеговича, просто за рамками стандарта социальной ненависти. Оправдания его поступку нет, однако здесь что-то иррациональное.

Нет, не смог постичь. И поэтому этот вопрос – *В чем цимес тотальной неприязни к Михаилу Ефремову?* — в Фейсбуке у себя задал.

Комментов там полтысячи, поэтому я, прежде чем процитировать несколько, изложу резюме: Михаилу Олеговичу достается не столько за пьяное вождение, сколько за профессиональную русофобию (так, во всяком случае, трактуют их совместные гастроли с **Дмитрием Львовичем Быковым** по украинам да америкам, сам не видел) и неуважение к соотечественникам в целом, и к зрителям в частности.

Мне Миша всегда был симпатичен, но я честно признаюсь, что не видел его выступлений в рамках совместных проектов с **Андреем Васильевым** + Дмитрием Быковым.

Ну а теперь обещанные комментарии.

Пресс-секретарь группы МАШИНА ВРЕМЕНИ Антон Чернин:

Вполне рациональное. Люди за три месяца взаперти устали, надо на кого-то накопившееся говно вылить, да так, чтобы потом за это ничего не было. Вот этот кто-то и подвернулся... У нас ведь люди пинают не того, кого нужно, а того, кого можно. Как пьяные, которые ищут выпавший из кармана ключ не там, где потеряли, а там, где фонарь. Ну ничего, вот ужо найдут — и сами за руль сядут.

Продюсер Андрей Мерзликин:

Только из-за пьянки за рулем со смертельным исходом. Во всем остальном он больше вызывал симпатию, даже когда «подбухивал» ©. Настолько большую симпатию, что многие стараются его эпитетами не награждать, хотя считают пьяную езду абсолютным злом.

Основатель группы «Бахыт-Компот» Вадим Степанцов:

Все правильно перечислил. И за гастроли по Украине тоже, где вместе с карателями хохотал над «Путлом» и рашкой... ну а фигли, изображал годами лицо совести нации — так будь им до конца, а не сри жидко в тапки. Хотя какая там совесть, подростковая бравада и пьяное хрюканье.

Израильский публицист и общественный деятель Авигдор Эскин:

Образ и творчество Ефремова вызывают отторжение и брезгливость. Но он не убийца. Он заслуживает сострадания как каждый человек, совершивший преступление непреднамеренно.

Художник из Курска Мария Шанина:

Не знаю, как у всех. Мне кажется, он своей деятельностью с **Орлушей** себе репутацию подпортил. А то, что сам при таких требованиях к государству был максимально аморален (потому что пить дома это одно, но ездить пьяным это совсем другое), вызвало такой резонанс. Кстати, я думаю, людей сейчас больше возмущает неумелая защита, закапывающая актера еще глубже... Вот пишут некоторые: страна потеряла актера, это бо́льшая трагедия, чем потеря курьера. Мне его тоже жалко. И мне не нравится, что начинают полоскать его семью. Я верю в его покаяние, впрочем, мне кажется, это не важно, главное что оно было.

Олег Лыткин (ВГТРК):
Одной этой фразы
«Наш народ не ребенок, а мерзкая подростковая гнида»
для меня достаточно, чтобы считать Ефремова мразью.

И еще — где та самая травля Ефремова? Его хотят линчевать, повесить, расстрелять? Люди хотят, чтоб персонаж, угробивший человека ни за что, ни про что, получил то, что должен. Не более того. Тем более, что его сейчас так отмазывают.

ТВ-ведущая Алиса Яровская:
Его нагружают виной всех тех, кто избежал ответственности, как бы отождествляя и с Лукойлом, и с мажорами, — объединяют по принципу «есть возможности», как мне кажется.

Журналист, возглавлявший такие издания, как Ъ и ПРОФИЛЬ, Александр Перов:
По совокупности содеянного, Жень. Более того: он принял на себя за всех — за борзую богему, за безнаказанность и хамство мажоров, чинуш и денежных мешков и т.д. И еще: беря на себя роль совести нации — а именно такова была роль исполнителя текстов «гражданина поэта» — надо хотя бы в какой-то мере

этой совестью быть. А он не потянул. Вот за все это вместе. И это естественно, хотя уровня злобы и ненависти я не одобряю — точно так же, как не одобряю сопливых и пошлых оправданий с другой стороны.

Израильский писатель, переводчик и публицист антисионистской направленности Исраэль Шамир:
Что делать, Женя! Значит, не любит Ефремова народ. Он же не червонец, чтобы его все любили. Одного любят, другого — нет. Надо смириться.

Оператор ЦТ Борис Саксонов:
Любовь артиста у народа складывалась ролями положительных героев в фильмах… Достаточно было сказать: коротка кольчужка… и ты уже любимец народа. У Ефремова нет запоминающихся ролей в кино. Он играет в театре, и в основном по телевизору он выглядел как последний алкаш. А «Гражданин поэт» видели единицы. И в остатке у толпы: алкаш.

Художник, прозаик, фронтмен группы «Таджик-арт» Кирилл Шаманов:
Может, не он бесит? А как раз попытки его отмазать? И то, что если его отмазать, он продолжит пить, «по неосторожности» убивать и куражиться. Пусть посидит хоть трешку, ему же лучше будет.

Кинопродюсер Анатолий Сивушов:
Жень, он долго и целеустремленно шел к этому (к неприязни массовой). Появляясь в ужасном виде на публике, на спектаклях — он показывал полное

пренебрежение к окружающим его людям. Плюс чтение гаденьких стишков. Все это и дает теперь результат. Градус же ненависти и эпитетов действительно зашкаливает. И мне кажется, это реакция народа на выступления «защитников», которые своими неуклюжими выступлениями вызывают только обратную реакцию. В общем, все видели деградацию человека, но ему и его окружению казалось, что люди не замечают. А люди все видели и «заряд» копился. «Всенародная» любовь к Мише была сильно преувеличена. И в "Гражданине поэте" он ее добивал. И пьяной аварией добил окончательно… но эпитеты и проклятия не одобряю — не **Чикатило** все же. Просто актерскому цеху защитников надо бы помолчать и извиниться — и реакция будет более спокойной.

САТАНОВСКИЙ ПРО ПРИГОВОР

Дабы не быть голословным, рассуждая о масштабной неприязни к Ефремову, приведу высказывание Евгения Сатановского, экс-президента Российского еврейского конгресса, известного широкой публике в качестве участника ток-шоу на государственных ТВ-каналах, включая «Вечер с Владимиром Соловьевым»:

«Выглядит как последняя скотина и ведет себя так же. Прибить бы его на месте, так хоть репутацию бы сохранил. Вспоминали бы без отвращения. А теперь уже не получится. Всех достал... Если Ефремов полный идиот, то он именно так себя и должен вести, как ведет. Ничего не знаю, ничего не помню, пешком ходил, про то, что в машине был, для самого новость, очнулся у следователя... И это артист Михаил Ефремов, сын Олега Ефремова?! Или это бомж с потерей памяти?».

Когда я залил запись полностью на канал «Додолев» в «Яндекс-Дзене», алгоритм ресурса попросту заблокировал этот пост и выписал мне предупреждение — «Язык вражды». «Догонял» Евгений Янович актера и после того, как из-за одной из апелляций суд Москвы скостил срок Михаилу Ефремову на полгода (с 8 до 7 ½):

«Скостили Ефремову полгода срока, оставив приговор в силе. Колония общего режима, а не поселение. Жалко его? Жалко. Но человека, которого он погубил, жалко больше. Умер тот человек. Насовсем умер. Родных и близких его жалко. И за своих детей и внуков страшно. Они по этим улицам тоже ездят.

Что до логики, насчет того, что погибший был обычный водила, а прикончивший его — талант, артист и сын звезды... Наркоман и алкоголик его прикончил. С детьми звезд такое часто бывает. Безмозглая и безответственная скотина, которая под кайфом за руль садится и по Москве гоняет, как по пустыне Атакама, где на сто верст вокруг живого человека не сыщешь.

Ладно, ты в зависимости от кайфа, больной на всю голову и вообще больной. А лечить тебя в принудительном порядке никак нельзя — не прежние времена. Лучше б, конечно, прежние, но у нас же демократия — живем в те, в какие живем. Так что никакого нарка и алкаша никуда не положишь. Свобода! Сам помирай и другим судьбы калечь. А услуга «трезвый водитель» для кого придумана?!

Ефремова прав лишили на три года. Сидеть будет семь с половиной. Вопрос: он в зоне рассекать будет? Или его через три года выпустят, на то все и рассчитано? И опять за руль? Чего-чего, но прав тут пожизненно надо лишать. Другой гарантии нет. А если меры пресечения такой нет, введите меру, дебилы!!!

Пешком пусть ходит. С водителем ездит, как на свободу выйдет: может себе это позволить. Не самый бедный человек в стране. На такси разъезжает, их теперь много. Но сам за руль?! Хоть три года пройдет, хоть тридцать три. Нечего Ефремову за рулем делать. Спокойней на московских улицах будет. И намного.

Пьющих вусмерть и торчащих от наркоты всех типов и видов идиотов за рулем на наших улицах полно. И звезд, и не звезд. Стриттрейсеров полно. Та же Мара Багдасарян и прочие мажоры. В авариях каждый год столько людей гибнет... Кто побогаче — откупаются. Кто понаглее, гоняют и без прав. Давить это надо было жестоко, и не вчера. С Ефремова началось, благо адвокат его сильно помог, Пашаев. Но тут дальше только ужесточать надо.

Иначе, какие меры воздействия к таким людям применять? Пристреливать их на месте ДТП? Можно и так. Отыскивать потом и мстить за забранную неадекватным гонщиком жизнь, прирезав его, как барана? Тоже метод. Для папуасов самое то. Для Африки и Пакистана. Там суд Линча в такой ситуации, как с Ефремовым, норма. Так что легко отделался. Очень легко».

Учитывая, что опытный + грамотный политолог всегда выступает в унисон с общественным мнением, легко можно сделать вывод, что негативное отношение ТВ-эксперта к Михаилу разделяет не менее 85% потребителей телепродукции.

Хотя есть и исключения, конечно; об этом ниже.

ЧУТЬ-ЧУТЬ ДЖИГУРДЫ

Джигурда говорит, что трагедия на Садовом — это подстава ФСБ: Михаила Ефремова, мол, хотели погубить.

Сергея Захарова убили силовики-шакалы, а не гениальный Михаил Ефремов! — так назвал Никита свой ролик.

«*Исполнитель сам решил провести журналистское расследование... Согласно его выводам, неизвестные личности спланировали аварию, чтобы расправиться с Ефремовым, однако по какой-то причине все пошло не так... Как отметил Джигурда, намеревались "заткнуть рот" артисту, поскольку не одобряли его участия в проектах "Гражданин Заразный" и "Гражданин поэт"... планирующие избавиться от актера лица не хотели допустить выпуска очередных сатирических роликов... Джигурда добавил, что кроме запрещенных веществ в крови знаменитости обнаружили зопиклон — сильнодействующее снотворное. Певец пришел к выводу, что артист не мог употребить данные препараты самостоятельно".*

Оп-па! Просто виртуозно. Заодно узнал про зопиклон. Хотя и не понял, почему самостоятельно никак не потребить. Почитал: препарат запрещено принимать в период лактации или во время беременности. Ну-ну. Интересно, как Михаил сам прокомментировал бы эти заявления. Что бы там не говорили про Ефремова, человек он, как мне представляется, совестливый...

Короче... Хайп это наше все. Помню, как Никита топил за «моих девочек» © из *Pussy Riot* в прямом эфире. Ну и про **Павленского** мы говорили в одном из выпусков ПРАВДЫ-24.

У меня в Фейсбуке активно обсуждали провокационный ход профессионального + грамотного тролля:
Первым отреагировал поэт Александр Вулых:
Кстати, **Джигурда** эта давно должна находиться на принудительном лечении в психбольнице. Не ро-

вен час зарежет кого-нибудь — опять будем обвинять общественность в том, что не помогла вовремя психически больному... Он рычит и кидается на людей! Его даже **Ефремов** бил за песни **Высоцкого** под гитару! Миша выгнал его из какой-то компании, чтобы больше никогда не повадно было Джигурде рычать голосом Высоцкого! Во всяком случае в присутствии артистов.

Ему ответил гендиректор ЖИВОЙ КОЛЛЕКЦИИ Андрей Горбатов:

Нет, Саша! Джигурда очень хитрый и прекрасный актерище... Только благодаря хорошо сыгранному перманентному психозу на публике — он на плаву и на хайпе. Его перестали снимать. Он пиарится и сшибает бабло — которое, как известно, — побеждает зло!

Коллега Наталья Щербакова (т/к ЗВЕЗДА):

Версия о ФСБ уже давно в соцсетях гуляет. Даже смешно... И обидно за ФСБ-то, они так грубо не работают.

ЕФРЕМОВ VS СЕРЕБРЕННИКОВ

В разгар процесса обсуждал разборки вокруг Михаила и с политиками, в том числе и с эпатажным Виталием Милоновым.

В ситуации с Михаилом Ефремовым вы на чьей стороне?

— Я на стороне справедливости. Мне мерзко и отвратительно было видеть, когда в первые дни после трагедии художественно закидывающие ножки известные балеруны *(речь о Николае Цискаридзе. — Е.Д.)* и прочие говорили: ну как вы можете осуждать Мишу, он же гений, он кается, ему больно. И сам он говорил: нет больше Миши Ефремова, слезы лились.

Что в результате получилось? Сейчас он в суде говорит: нет, это не я. «А докажи, начальник». Не было покаяния. Был страх.

Я бы его стал уважать, если бы Ефремов имел мужество сказать: я совершил чудовищную ошибку, я не буду ни оправдываться, ни лебезить, ни нанимать адвокатов. Вот моя покаянная голова. Если он православный человек, он знает, что покаянную голову меч не сечет. И тогда бы общество простило. Да, он получил бы свой условный срок, может быть, полгода колонии-поселения, то, что положено по закону по нижней планке. Но не было бы вот этого омерзительного шоу с этим омерзительным адвокатом, который просто уничтожает остатки его репутации. Зачем Ефремов его взял? Ну, он ему пообещал, видимо, «решить вопрос». Но не удастся порешать: общественное мнение приковано к этому делу. И я искренне желаю судье вынести решение исключительно по закону. Потому что, извините меня, когда выносили решения, что по Евгении Васильевой, что по Кириллу Серебренникову, — люди не поняли и не приняли.

Сколько сейчас сидит предпринимателей за неуплату налогов в тюрьме? Они не убили никого, не ограбили. Налоги не заплатили. Да, совершили ошибку. Почему они в СИЗО сидят? Выпустить всех! Мы из них сделаем преступников закоренелых, если они будут ждать суда по два, по три года, пока их там полностью не обезжирят, как говорил Владимир Владимирович.

А тут 120 миллионов режиссер украл, и все сошло с рук. Я не хочу видеть крови Серебренникова. Я бы хотел, чтобы на примере этого беспрецедентно нежного по отношению к нему решения сейчас пошел бы вал таких же решений по отношению к тем, кто совершил ошибку в первый раз, не связанную с насилием. Экономические осужденные должны получить свободу.

Ведь люди совершали эти преступления очень часто не только потому, что они хотели заработать больше денег, а потому что система вокруг них была такая.

Вы сами себе противоречите. С одной стороны, говорите, что слишком гуманно поступили по отношению к Серебренникову, с другой стороны, считаете, что людей за экономические преступления нельзя строго карать.

— Я выступаю за справедливость. Уж коли известному режиссеру или чиновнице Минобороны можно, тогда пускай будет по-честному, тогда так же нужно делать по отношению ко всем. Потому что никакие не враги сейчас сидят в тюрьмах переполненных, не убийцы и не насильники. И они имеют право на прощение со стороны общества.

Финальный вопрос как раз — тест на популизм. Вот у нас два случая — с Серебренниковым и Ефремовым, оба человека богемы. Кто в вашей системе координат из этих двух опасней для общества?

— Конечно, Ефремов, который пьяный и под наркотиками садится за руль. При этом я считаю Михаила гениальным актером.

Серебренников обманул государство. Он украл деньги, это доказано судом. Но он никого не убивал.

Ефремов — убил. Если бы он убил человека, не справившись с управлением, это другое дело. Алкоголь и наркотики делают человека априори вдвойне виновным. Сколько людей погибло по вине таких ефремовых? И сколько таких ефремовых не сели, потому что кто-то кому-то позвонил, кто-то кому-то отнес денежку, и они сейчас на свободе. Я считаю, что в обществе назрел запрос не на карательные меры, а на справедливость.

АДВОКАТЫ

Здесь мои беседы с юристами, что занимались «делом Ефремова». С каждым из них я беседовал неоднократно, и в прямом эфире, и в гостевых канала «Москва 24». Не стану вдаваться в подробности, приведу лишь те пассажи, которые так или иначе вписываются в концепт настоящей книги.

АЛЕКСАНДР ДОБРОВИНСКИЙ, АДВОКАТ

Во время нашей июньской беседы, по горячим следам, адвокат **Александр Добровинский** допустил, что **Михаил Ефремов** получит условный срок. Ну, во всяком случае, на мой вопрос ответил именно так.

Анонсировал этим абзацем эфир. И что интересно: гневные комментарии у меня в Фейсбуке — все в адрес адвоката, но не обвиняемого (напомню, Добровинский представлял интересы семьи **Сергея Захарова**, погибшего после лобового столкновения с джипом Михаила Ефремова на Садовом):

Мой давний товарищ, культовый поэт Александр Вулых:

Добровинский — откровенный аферист, специализирующийся на досудебных терках. Ефремов получит реальный срок. Для условного никаких оснований нет. Другое дело, что может выйти по УДО, если будет работать и завяжет вчистую с алкоголем.

У Ефремова много поклонников. Во-первых, популярный артист. Во-вторых, его образ и амплуа близки нашим широким народным массам. По-человечески его жаль. Но также по-человечески мне было жаль мажора **Кокорина**, и мне бы хотелось, чтобы он вернулся на прежний уровень, но уже с другой головой. С Мишей сложнее. Он должен пережить очищение и завязать с алкоголем и наркотой. Вернется ли он в новой ипостаси к старой профессии, которая подразумевала у него только такой образ жизни? Скорее всего, нет. Если по-настоящему переживет катарсис.

Сценарист Юрий Бурносов:

Разве этого должен добиваться представитель пострадавшей стороны?!... ну если он уже на этой стадии допускает, я бы такого адвоката сменил, честное слово.

Коллега из ЭКСПРЕСС-ГАЗЕТЫ Михаил Панюков:

Добровинский известен как патентованный негодяй. Т.е. очень профессиональный и эффективный адвокат — любыми методами... Ну, к примеру — случай с **Маруани**. Тот, международная знаменитость, обвинил **Киркорова**, что наш «король римейков» украл его мелодию. Ему позвонил Добровинский, представитель Фили, и сказал: «Можем урегулировать. 100 тысяч евро устроит?» (Точную сумму, правда, не помню.) Маруани сказал — да. Ему назначили встречу в отделении Сбербанка. А когда Маруани туда приехал, его принял ОМОН, и француза обвинили в вымогательстве денег. Мог получить реальный срок. Я уж не говорю, как Добровинский судился с собственной дочерью... Это ему огромная реклама во всероссийском масштабе, а работа, прямо скажем, не пыльная — все тут очевидно, Ефремов вину не отрицает. Вот если бы он Ефремова взялся защищать — это было бы очень тяжело.

Журналисту там возразили:

К сожалению, в юриспруденции такова ситуация, что адвокат и должен быть именно таким и не менее, для кого-то он будет отпетая сволочь, а для кого-то чистой воды Господь Бог.

«По версии следствия, будучи под воздействием алкоголя и наркотиков, Ефремов управлял машиной Jeep Grand Cherokee Overland и ехал по Смоленско-Сенной площади в сторону Нового Арбата. В ходе движения он превысил скорость и выехал на встречную проезжую часть. В результате он столкнулся с фургоном "ВИС", которым управлял житель Рязанской области Сергей Захаров. От полученных травм водитель умер на следующий день. Как стало известно, рассматривать скандальное дело Ефремова будет судья **Елена Абрамова**. Она известна приговорами футболистам **Александру Кокорину** и **Павлу Мамаеву**, а также бывшему сотруднику МВД **Дмитрию Захарченко**. Последнего она оправдала по основному из двух эпизодов взяточничества и отправила в колонию на 13 лет по-другому».

Ну а теперь, собственно, интервью с Александром Андреевичем.

Я правильно понимаю, что дело с Михаилом Ефремовым, это первое, собственно, дело в 2020 году?

— Ну, не совсем в этом году первое дело, конечно, потому что многие дела остановились на два месяца.

Дело **Михаила Ефремова** возникло совершенно случайно. Я был приглашен в телевизионный эфир. И там меня увидели, а я увидел семью [жертвы], и они сделали мне предложение.

Я не занял сторону Ефремова. Я приблизительно представлял, как я могу его защищать, и, соответственно, как довести до ощутимого полезного финала в его пользу. И мне это не захотелось делать.

Странно. Потому что ваш тезис, что вообще надо браться только за дела заведомо выигрышные, что нельзя вписываться в проигрыш.

— Я объясню сейчас, за какие дела я не берусь. Я никогда не буду защищать педофила. Я не хочу входить в дело, связанное с терроризмом и наркотиками.

Вот есть какие-то категории дел, за которые мне не хотелось бы браться.

Вы первые об этом узнаете, никто не знает. До сегодняшнего дня никому никогда не говорил. Я создал общество, которое будет совершенно бесплатно помогать потерпевшим в аварии, виновником которой стали водители в состоянии алкогольного и наркотического опьянения. Наша коллегия адвокатов меня поддержала, и мы хотим помогать людям, попавшим в беду, абсолютно бескорыстно, абсолютно бесплатно. Я считаю, что настало время бороться с этим.

Германский публицист Янкова написала, что фактически вы работаете на оправдание Михаила Ефремова, не предавая при этом интересы своих доверителей.

— Я не совсем понимаю, в чем я его оправдываю. Ну, наверное, в Германии виднее.

Вы сочувствуете Михаилу Олеговичу или считаете, что он все-таки перешел какую-то грань?

— Ну, понимаете, какое дело. Очень многоплановый вопрос вы задали. Я попробую ответить.

Первое, я человек непьющий. А я всегда исхожу в своих оценках от себя. Есть такое смешное выражение: непьющий от слова «совсем». Моя серьезная порция алкоголя — это где-то бокал вина раз в два месяца, не больше. У меня очень много друзей, просто очень много умерли от этой гадости, от злоупотребления и от алкоголизма. Особенно институтских почему-то. Поэтому я отрицательно отношусь к алкоголю вообще.

Второй момент в этом деле. Я считаю, что человек, который садится за руль пьяным, потенциальный преступник, даже если его пронесло на этот раз и его никто не остановил. Люди вокруг него должны отдавать отчет, что трагедия может произойти.

Теперь что же касается самого Михаила.

Я просто хотел уточнить, вы знакомы?
— Нет.

Что же касается его самого, это очень талантливый актер, очень талантливый, который мне импонировал в тех фильмах, которые я видел.

И я считаю, что Михаил виноват в том, что не отдавал себе отчет, что рано или поздно с ним что-то могло произойти.

Когда меня спрашивают, а спрашивали много раз, какое наказание я хотел для Михаила, я говорю, что я просто не могу и не смею это сказать.

Я присоединюсь, так же как мои доверители, к мнению прокурора, и мы примем любое решение, любой приговор суда, любой, который не будем никогда оспаривать. Но сказать сегодня, что я хочу Михаилу этот срок или тот, ребята, я это не сделаю никогда.

Ваши доверители согласятся с оправдательным приговором?

— Если он будет, конечно.

Ну, они хотят справедливого приговора. И вот именно ту фразу, которую я сказал, это согласиться с мнением прокурора и принять любой приговор, который будет, это и есть.

Я не могу понять, почему их так атакуют, честно говоря. Не знаю, почему. И делают из них крайних, потому что они пошли на ТВ-шоу и так далее.

И мне пришлось приоткрыть завесу с их согласия, конечно, почему, собственно, они тоже участвуют в шоу.

Это семейная тайна, которую они мне разрешили сказать публично. В 1998 году другой член семьи, двоюродный брат погибшего Сергея, попал в точно такую аварию, один к одному.

В качестве жертвы?

— Да. Тоже выехал автомобиль на встречную полосу, и тоже лобовой удар. Двоюродный брат **Виктор Венедиктов**, его отвезли в больницу, и он скончался через несколько дней, оставив вдову и 14-летнего ребенка.

А дальше произошла странная вещь, которая, к сожалению, в нашей стране встречается. Человек, который совершил это деяние, ушел из-под любого наказания вообще.

Это социально значимый какой-то персонаж был?

— Ну, на уровне Рязанской области, насколько я понимаю.

Вы так акцентировали — «в нашей стране», как будто не провели столько времени в Соединенных Штатах и не знаете, например, о деле О'Джея Симпсона и тысяче других дел, когда деньги решали все. Глобальная общая практика, когда власть и деньги корректируют правосудие.

— Да. Но у нас развернулась большая полемика по этому поводу. И у нас обвиняют следствие и семью в том, что как же можно выставлять какие-либо претензии Михаилу Ефремову, когда вот существуют такие-то и такие-то случаи...

Ну вот Радзинский — история, когда он убил девушку, выехав на встречную полосу.

— Да, и так далее. Но я не участвовал в этих процессах, потому не могу и судить. Но претензии в соцсетях есть, безусловно. И вы абсолютно правы с делом Симпсона — хотя там его и отыграли в другую сторону позже, но в результате был оправдательный приговор.

И, например, дело **Вайнштейна** полностью наоборот, где точно он должен был быть оправдан, сыграло в совершенно другую сторону.

Михаила Олеговича Ефремова в соцсетях полощут нещадно. Его оскорбляют, называют эпитетами, совершенно непотребными, некрасивыми. Вас это не смущает, что такой накат идет?

— Конечно, смущает. К сожалению, вот все сложилось вместе. Два месяца карантина, полный застой в умах, да, и соцсети, которые как бы переполнены, дурацкое слово английское, хейтерами. У нас есть хорошее русское слово «ненавистник».

Я увлекаюсь психологией, правда, своей собственной, как бы строю свои теории: людям, для того чтобы возвеличиться в собственных глазах, надо каким-то образом опустить в этих же своих глазах других, поэтому они пишут гадости, там же все как бы безнаказанно проходит.

Появилась вот такая возможность под псевдонимом сказать какие-то мерзости другому. Кроме того, это, конечно, публичный персонаж, которого очень легко сегодня как бы сравнять с пылью.

Одновременно возникла другая толпа людей, если можно сказать, в соцсетях, которая говорит, нет, нет, его травят... как говорил когда-то **Ефремов-старший** в известном фильме «Берегись автомобиля»:

Он, конечно, виноват. Но он — не виноват. Пожалейте его, товарищи судьи!

Вот считаю, что один из столпов нашей культуры второй половины XX века, безусловно, Олег Ефремов.

Так вот, возвращаясь к соцсетям: вторая половина говорила, его будут гнобить и его посадят. И такая мелкая гражданская война в соцсетях пошла. А соцсети устроены таким образом, что можно сказать безнаказанно — ты дурак, сам дурак — и вот это все превратилось уже в фарс.

Те люди, которые лично знают Михаила — Шукшина, Домогаров? — они ведь за него впрягаются не как за коллегу по цеху, который, условно говоря, «тоже пьет», а потому что они знают, что человек-то он очень совестливый и добрый. Он попал в беду, и он ответит по закону. Но нельзя ли как-то остановить этот накал оскорблений, а не обвинений? Вы же видите разницу межу тем, чтоб обвинять человека или его просто уничтожать морально?

— Остановить это, мне кажется, очень тяжело, как заставить соцсети замолчать?

Вам не попадались версии, что ФСБ организовала, накачала Михаила героином, напоила, посадила в машину, и даже не он сам вел. Вы читали эти версии?

— Конечно, я читал, что не он сам вел. Господин **Джигурда** сказал тоже что-то в этом духе. И там сидел какой-то человек в скафандре, а потом привезли агента, естественно, ФСБ и так далее.

О себе что я только не слышал! Что меня нанял Кремль. Что я всю жизнь работаю с ВЧК, КГБ (с ВЧК особенно мне понравилось, это, наверное, в 20-х годах я начал). И серьезная организация вообще-то, это как комплимент.

Мои доверители отказались принимать любую компенсацию от Ефремова, я в этом деле на самом деле защищаю Ефремова и экономлю его деньги в этом плане, я в этом деле не для того, чтобы Ефремова раздеть.

Ну, слушайте, я с большим удовольствием все это читаю, мне это мило очень. Но посмотрим, что будет.

Вам я могу сказать, что они действительно отказались от компенсации. От любой. Не хотели. И когда я задавал вопрос, почему, они говорили, ну как бы Серёжа покойный, наверное бы не понял и не простил.

Но есть еще один аспект, который мне стал понятен. Представляете, вот они возьмут, ну предположим, деньги и вернутся к себе в Рязанскую область, где все друг друга знают годами. Им скажут, ну что, взяли деньги, продались. Им там жить.

Их претензия в том, что он покаялся стране, народу публично, а не им.

Ну конечно, говорил о себе. Для них, для них это не было что-то такое интимное между Михаилом Ефремовым и семьей. Для них это было, это был такой публичный взрыв, продолжение актерского мастерства великолепного. Вот как они расценили. Может быть, не правы, но это так.

ЭЛЬМАН ПАШАЕВ, ЗАЩИТНИК

С Пашаевым я беседовал несколько раз, но так и не смог понять, что за человек этот загадочный и завораживающий своим напором юрист. Знаю одно — в Сети у него мощнейшая группа поддержки. Если каждую мою беседу с Добровинским, выложенную на YouTube, комментят преимущественно хейтеры, изрыгающие проклятия в адрес моего визави, то в случае с Эльманом, напротив, почти единодушен хор фанатов, коих легко разгневать «недостойным вопросом» собеседнику.

Именно мне адвокат **Михаила Ефремова** дал первое интервью. До этого **Эльман Пашаев** лишь отвечал на вопросы по «ынтырнэтам» и дважды был в студии у **Скабеевой** на ее грандиозном ток-шоу, где сцепился и с хозяйкой площадки, и с **Жириновским**.

Говорить мне с ним было сложно, поскольку Мише я сочувствую и никогда это не скрывал, а то, что делает Эльман, — я не понимаю.

Бесспорно, обаятельный собеседник, но от вопросов перманентно уходит, имитируя худое владение русским языком, который, по его словам, выучил в армии (воевал в Приднестровье, кстати). Родился мой собеседник в Армении, учился в Азербайджане (его дед там был министром сельского хозяйства).

Был, кстати, и пассаж насчет акцента. Мой собеседник привел в пример **Сталина** – мол, тоже говорил по-русски не блестяще, но дел наворотил... У меня в Фейсбуке этот момент комментровали:

У Сталина был акцент, но падежи он не путал. У него была огромная библиотека, читал по 400 страниц в день на русском языке.

Музыкант **Владимир Зелик** там же, у меня в ФБ, стебанулся:

Машина ехал сам. Это и школьника понятный.

Процитировал я в нашем разговоре **Андрея Макаревича**:

«Про адвокатов (обеих сторон) могу сказать только одно — лишил бы лицензии. Навсегда».

Собеседник ответил вопросом на вопрос, мол, представляете, сколько про **Путина** говорят — он обращает на это внимание?

Про президента и отношение к нему Михаила Ефремова — целый блок беседы.

Между прочим, попросил Эльмана прямо в эфире набрать доверителю по громкой связи — Миша передал мне привет, звучал трезво и печально. Пашаев заверил меня, что представит доказательства того, что Ефремов не был за рулем своего джипа. В салоне был, да, но вел машину другой человек (актер тоже, друг и коллега обвиняемого). Обещал в суде представить ДОКАЗАТЕЛЬСТВА. Не представил, увы.

Мой экс-коллега по ИДР **Александр Бурый** заметил:

«Да, что-то он про обувь загибал. Что, мол, на одних видео он в обуви, на других без обуви. Не помню точно».

Экс-коллега по «Московской правде» **Майя Егорунина** спрашивает:

«Вот про доказательства: почему сработало много подушек безопасности? Одна была у водителя, а другие? Кто с ним ехал? Кого он прикрывает? Вы не подумайте, пожалуйста, что я ЗА Ефремова. Но у знаменитого актера была отличная машина. В ней подушки безопасности просто так не срабатывают, они срабатывают только при наличии людей, сидящих в машине. Или я чего-то не понимаю?».

Ей ответили: *«Прекрасно срабатывают при сильном ударе, как в любой машине. Они вообще не на задницу на сидушке реагируют и не на удар лбом в стекло (в первом случае, рано, во втором — поздно))), а именно на резкое изменение режима движения. Хреновенькие могут и при резком торможении сработать, раньше бывало. Сейчас довели это до ума, но тут удар оч. приличный. Так, что это "мимо", а вот след от ремня, на следующий день можно было бы зафиксировать. В этом случае время возникновения достаточно точно устанавливается. А, вообще, мерзкая это комедия — превращение очевидного в возможно невозможное:(И самое противное в том, что когда Мишу отмажут, то все, кто топил за это, не станут чувствовать себя неловко, соучастниками чего-то крайне сомнительного, но только представителями победившей корпорации».*

Короче, я озадачен. Пашаев уверил меня тогда, что дело выиграет, иначе не взялся бы.

Не знаю, не знаю, «время будет показать» ©.

Процитирую одну из наших бесед.

Эльман, вам рекомендовали взяться за дело Ефремова или, напротив, кто-то Михаилу обозначил вашу кандидатуру в качестве защитника? Инициатива с чьей стороны исходила — доверителя или юриста?

— Когда ДТП случилось, я как раз прилетел в Ростов, в первом часу ночи. Только из самолета вышел, мне позвонили и до утра уговаривали, чтобы я вернулся обратно. Это очень серьезные люди. К сожалению, я не могу называть имена.

Из мира политики люди или из шоу-бизнеса?

— Пожалуйста, не будем уточнять. Они почему долго меня уговаривали? Эти люди знают результаты моей работы.

Почему не сразу согласились?

— Не люблю громкие дела. Я понимал, что будет крайне резонансное дело, журналисты мне работать не дадут.

Вам не дают работать журналисты?

— Не дают работать, поверьте. 24 часа в сутки. Если я телефон не отключаю, днем и ночью звонят, интересуются. А мне работать надо. У меня же не только Ефремов.

Да, у вас 150–170 дел в год. Получается, что времени-то на каждого доверителя совсем немного.

— А я же не психолог, чтобы их успокаивать постоянно. Я как хирург: пришел, прооперировал и жду выздоровления пациента.

Ваш оппонент, адвокат потерпевших, господин Добровинский, сказал, что он берется за дело, только когда уверен в выигрыше. У вас такая же позиция?

— Ну, само собой, конечно. Я про Добровинского не хочу говорить ничего. Насколько я знаю, он уголовными делами не занимался. Может быть, в других делах он профессионал, абсолютно в этом не сомневаюсь.

Он как раз профессионал в смысле общения с прессой, я вам могу сказать как журналист, с ним комфортно.

— Я, что касается общения с журналистами, в сравнении с ним — ноль *(смеется).*

Так вы беретесь за дела, когда не уверены в победе?

— Нет, конечно.

Значит, и в данном случае — с Михаилом Олеговичем Ефремовым — уверены в благоприятном исходе для вашего доверителя?

— Я несколько раз аналогичные дела прекращал, освобождал из-под стражи и получал хороший результат.

Что вы называете «аналогичным делом»?

— ДТП. Со смертельным исходом. Водитель в состоянии алкогольного опьянения.

Вы перечисляли категории людей, которых не взялись бы защищать. И, кроме стандартного набора (торговцы наркотиками, педофилы), там еще прозвучало: не стали бы защищать человека, который обидел беременную женщину.

— У меня принцип: в отношении беременных женщин, детей, стариков наших — любое преступление недопустимо, для меня это свято.

Анатолий Кучерена, известный адвокат, мне говорил, что нет такого человека, которого он не взялся бы представлять.

— Он прав, профессионально он прав.

Значит, вы тогда неправы, получается?

— Я в этом неправ, конечно. Но у меня своя система моральных ценностей. Я в детстве стал сиротой. За рулем «КамАЗа» был пьяный водитель, выехал на встречку, погибли 6 человек. Маме было 39, папе 46, одному брату 18 лет, другому — 5, племяннику годик был, и дядина жена ровно месяц была замужем, ей 20 с чем-то было. В одной машине. Все погибли, вся моя семья и родственники. И вот, когда мне говорят, что я издеваюсь над потерпевшими... Я сам знаю, каково быть потерпевшим!

Папин двоюродный брат был прокурором. Он, когда узнал, что у того водителя двое малолетних детей, дал команду, чтобы не «закрывали» его. Ну, пьяный водитель, он же не умышленно убил...

А здесь что видим? Неполноценная семья. Труп еще не остыл, а они по телеканалам бегают, собирают деньги...

А как у вас складываются отношения с родственниками Михаила Олеговича?

— Я только Никиту знаю, старшего сына. Он очень хороший парень, в самом деле.

Соня — это жена, ей низкий поклон. Это на сегодняшний день тыл Михаила.

Вы жестко проехались по дочери Михаила (Анна-Мария, дочь от четвертой жены, Ксении Качалиной. — **Е.Д.**). ***Сказали, что «я, как кав-***

казский мужчина, слово "лесбиянка" не признаю».

— Вы знаете, я не перевариваю это. У меня еще моральные ценности есть. Мои корни никуда не денешь.

Как могут быть у адвоката «моральные ценности»?

— Вот в этом и проблема большая. Я из-за этого очень сильно страдаю.

Хороший товарищ Михаила Олеговича — Иван Охлобыстин — заявил, что на самом деле Ефремов хочет в изолятор.

— Ну я же с Охлобыстиным сам разговаривал. Вообще-то, Михаил в первый день хотел в изолятор. Человек настолько был пьян… Вот три дня я не мог понять, с кем я разговариваю. Невозможно было, человек отходил. Только потом уже Михаил начал понимать.

Начал понимать, что произошло?

— Это я раскрою на судебном заседании. Сейчас государственное обвинение предоставляет доказательства. Потом выступит потерпевший, а потом мы будем. Вот тогда, когда наша очередь наступит, и представим все аргументы.

Тот аспект, что ваш доверитель — профессиональный актер, очень многих людей подталкивает к разным выводам. Допустим, когда его увезли в больницу, говорили, что он сыграл этот приступ.

— Вы знаете, Бог этим людям судья. Эти люди потеряли честь, совесть и мораль. Я по-другому не скажу. Михаила как овощ привезли. Я же позже приехал, в суде задержался. Врачи мне говорят: «Вы знаете, его надо немедленно госпитализировать, у него ситуация никакая». Я такого беспредела не видел: секретарь суда находится у пристава в кабинете, с кем-то разговаривает, решение принимают, что делать врачам. Врач не должен согласовывать — пациента можно увезти или нет.

Я был у председателя Пресненского суда, на эту тему с ней разговаривал. Говорю: «Вы поймите, это дело политическое». Я «погасил» американского журналиста, европейского журналиста, украинского журналиста. Они все хотели из этого делать шоу, якобы этот процесс — заказ Путина. А я им сказал: «Подождите, а Путин ему наливал?»

Ну, Джигурда говорит, что ФСБ подстроила аварию.

— Это глупость.

Насчет Путина. В социальных сетях обильно обсуждали ваш рассказ о том, что на кухне у Михаила...

— Это правда, у него портрет Путина висит. Многие, может, думают, что он хочет Путиным прикрываться, чтобы ему меньше срок дали. Это глупость. Я его спросил: «Вот, стишки вы читали про Путина. Это что такое?» Он говорит: «Эльман, я актер».

Вот играет педофила актер, он что, педофил? Актер на экране или на сцене кого-то убивает, он что — киллер? Мы забыли, что есть два Ефремова: актер Ефремов и личность Ефремов.

Я серьезно взялся за эту семью, за их защиту, когда увидел, что это за люди.

А что за люди?

— Крайне добросовестные, крайне порядочные люди. Я даже порой шучу, говорю: «Вы чего, не из сферы искусства, что-ли?» (*Смеется*). У Михаила, знаете как? Что нравится, не нравится — все в лоб высказывает. А многие таких людей не любят.

Соня, жена, — то же самое. У нас вообще-то с ней первоначально были очень плохие отношения.

Разве?

— Само собой. Потому что я никому не позволяю в работу вмешиваться. Она хотела узнать все. Я говорю, нельзя, не могу рассказать. Потому что, я думал, она поделится со своей подругой, мамой... Но вот в этом я ошибся. Я потом понял, что она — за семью: «Эльман, мы вам мешать не будем».

Ну а ее-то хотя бы в какие-то вещи посвящаете, которые почему-то, ссылаясь на тайну следствия, категорически отказываетесь рассказывать журналистам? Допустим, по вашей версии, в тот трагический вечер Миша ехал к матери какого-то своего товарища из Одессы?

— Да, это правда.

Почему вы скрываете имя этого человека?

— Он отказался *(речь идет об актере* **Алексее Горбунове**, *поддержавшем Евромайдан. —* **Е.Д.**). Я очень сильно расстроился. Говорит, «пожалуйста, не надо называть мое имя».

Вы с ним общались?

— Конечно. Он сказал, сейчас общественный резонанс такой, пожалуйста, не надо. Говорю: «Вы же друзья, он не просто так поехал». Он: «Поймите меня правильно». Я говорю: «А почему Михаила никто не хочет понять? У него трудные дни. И именно здесь нужны друзья, а не за столом». Но человек отказался. Я лично общался с ним дважды.

Вы считаете, президент Путин находит время следить за этим делом?

— Вы как себе представляете, Путину делать нечего, сидит только смотрит, чем у Ефремова дело закончится? Если бы до него всегда доносили, как есть на самом деле, уверяю, он всегда принимал бы правильное решение. Он не захочет, чтоб невинный человек сел.

Я не хочу из дела Ефремова шум делать, вот эта наша нынешняя работа меня жутко колбасит. Раздули ради пиара.

Вам не кажется, что вы, возможно, не самую лучшую услугу оказали Михаилу, когда сказали, что писали текст видеообращения, которое он зачитал? Потому что люди-то ис-

ходили из того, что человек раскаялся, гово-
рит, что нет уже Миши Ефремова, понесу
наказание. И вдруг выясняется, что он просто
как актер зачитал это.

— В этом плане мне «нравится» работа журналистов. Журналистам что нужно? Хайп. И когда я им объясняю, что я редактировал текст, они
отвечают: «Вы же сказали, что написали». И я уже
с иронией: «Нет, все я написал». И понеслось.
Я без тормозов вообще-то. Что приходит в голову,
я всегда говорю. А это многим не нравится.

Андрей Вадимович Макаревич написал у се-
бя в социальной сети, что обоих адвокатов,
имея в виду и Пашаева, и Добровинского, надо
лишить лицензии. Вас огорчает, что вы в гла-
зах многих людей репутационно теряете?

— Отвечу. С утра до вечера что делают с Путиным? С утра до вечера? Вы видели, что Путин
на кого-то реагирует или обращает внимание?
Этот человек для меня кумир. Это правда. Я не
являюсь членом какой-то партии. Нет. Я сам
спортсменом был. И я вижу, как...

Но не дзюдо же, нет?

— Но тоже боевые искусства — тхэквондо.
И кикбоксинг. Знаете, я вижу результат. Можно,
я скажу? Вы будете смеяться. Есть люди, которые
про меня говорят: «Он с таким акцентом разговаривает. Как он защищает?» Мой ответ: Сталин
очень плохо говорил. Результат какой? Войну вы-

играл. У хирурга не спрашивают: «Ты как говоришь?» У хирурга спрашивают: «Какой ты результат дал?».

Как примерно рассуждают люди, я понимаю. Многие помнят историю с Радзинским, который выехал на встречку, убил девушку, сделал покаянное заявление, что, мол, меня никогда больше никто не увидит, я жутко переживаю, раскаиваюсь, и вот несколько лет прошло, он снова в эфире сидит, как бы все забыто. А другой человек на его месте, условно говорю, Захаров, в кого-нибудь въехал бы, и его бы упекли на полных 12 лет...

— Это неправда. Я вам искренне говорю: если Михаил хотя бы помнил, что было, неужели я отказался бы от признания вины; это же является отягчающим обстоятельством, когда есть железные доводы, доказательства, и человек не признает вину. Ему дадут 7–8 лет как миленькому.

Но я изучаю все и понимаю — вообще ничего в материалах дела не соответствует действительности. Везде «со слов, со слов, со слов». Ни одного доказательства.

Вопрос: вот Михаил выезжает, сопровождает его машину видеокамера. Момент ДТП есть. А где видео после? Почему не показывают народу? Неужели, думаете, я сумасшедший, и если бы я увидел такое видео, то сказал бы: Михаил, нет, мы не будем признавать вину? Адвокат обязан исследовать, выяснить все детально, а потом согласовать свою позицию с подзащитным. Здесь провокации нет. Здесь есть определенные моменты.

NB *Рассматривая «Дело Ефремова», «Свободная пресса» утверждала: «В советское время актеры вообще редко получали реальные сроки за редким исключением. И одним из таких исключений стал в свое время актер Владимир Долинский, который тоже высказался о судьбе Михаила Ефремова, получи вдруг он реальный срок. "Он давно свою жизнь ломал, ломал алкоголем. Не могло все это закончиться иначе, если бы не эта авария, то с Мишей случилось бы что-то другое. Это его рок, — резюмировал Заслуженный артист России. — Самое страшное — попасть туда больным, в тюрьме тебя никто лечить не станет. В тюрьме есть свой ритм и распорядок жизни, очень трудные и своеобразные. Но и там люди привыкают, всегда можно что-то сделать, себя поддержать". Но советские времена канули в Лету. Сегодня ни "культурные сливки общества" ("нравственная элита страны"), ни "вершители судеб", ни тем более "слуги народа" разного пошиба в тюрьму попасть ни в коем случае не могут по определению. За них всегда найдется, кому заступиться. По крайней мере, никто из сильных и культурных мира сего, замешанных в более или ме-*

нее резонансных ДТП, не получил реального срока. Можно вспомнить Заслуженную артистку России Людмилу Поргину, супругу актера Николая Караченцова, которая в 2017 году в состоянии легкого опьянения попала в Подмосковье в аварию, в результате чего ее автомобиль перевернулся. Оправданными оказались актер Валерий Николаев, сбивший женщину и скрывшийся с места происшествия, телеведущие Николай Дроздов (у жертвы был выявлен перелом костей таза), Леонид Якубович (пешеход погиб) и многие другие. Отделался штрафом драматург Эдвард Радзинский, протаранивший автомобиль, пассажирка которого погибла (дело прекращено по амнистии). Насмерть сбивший женщину Константин Меладзе был оправдан».

КАК БЫ КОДА

Концепт этой вещи предельно прост. Михаил Олегович рассказывает о себе не как о профессионале, но как о человеке — сыне, муже, отце.

И посему мне представляется необходимым под занавес добавить некоторые пояснения своего видения проблемы восприятия социумом так называемых социально значимых персон.

СУБКУЛЬТУРА
ТВОРЧЕСКОЙ ИНТЕЛЛИГЕНЦИИ

Дело в том, что традиционно, со времен Советского Союза, под собственно «культурой» мы понимали и понимаем на самом деле... субкультуру творческой интеллигенции.

Впервые этот тезис я услышал лет двадцать назад из уст тогдашнего директора института культурологии **Кирилла Эмильевича Разлогова**, обсуждая с ним какую-то очередную ТВ-новацию.

Мысль проста, как все гениальное, отметил я про себя.

И субкультура та была, бесспорно, качественна и чудо как хороша. Но! Ведь нельзя же утверждать, что она лучше и достойней, скажем, субкультуры канадских эскимосов или калифорнийских байкеров. Не говоря уже о конфессиональных субкультурах.

Судьи-то кто? Статистически у помянутых интеллигентов фанатов меньше, чем поклонников рэпа. И коль скоро мы решили жить по противоестественным лекалам демократии, не будем забывать ее, демократии, дефиницию: власть большинства, народовластие (от греческих demos — народ и kratos — власть). Кого больше, тому и подмостки + эфиры...

А у интеллигенции свои, отличные от электората, представления о прекрасном. Именно поэтому на Гостелерадио СССР безраздельно доминировала симфоническая музыка, в то время как покорный зритель полуподпольно внимал на кухнях проникновенному пре-рэпу **Владимира Семёновича Высоцкого**.

В кинотеатрах демонстрировали ладно сработанные гламуризированные полотна, фанфарно трактующие события Второй мировой, при этом хорошим тоном считалось обсуждать работы **Тарковского**, а рекорды домашних видеопросмотров била полуподпольная «Греческая смоковница» (и прочая эротическая развлекуха).

Не было и нет смысла полемизировать, пытаясь понять, что «полезней для подрастающего поколения» или «культурней» — **Чайковский** или **Окуджава**? Абсурд. *Jedem den Seinen*.

Примадонна отечественной попсы **Алла Пугачёва** не имела в СССР и сотой доли эфирного времени, которое жертвовалось камерным концертам. Хотя количество эфиров, по логике вещей, должно быть обратно пропорционально нотному качеству.

Так что ныне все просто стало на свои места. И в контексте рыночных отношений спасать культуру бессмысленно. Если под последней понимать не масс-культ, а, повторюсь, ту субкультуру, которая тождественна — в лексиконе респектабельных мэтров — КУЛЬТУРЕ.

Призыв спасать «разумное, доброе, вечное» в нынешнем контексте есть просто глас вопиющего в пустыне. Снявши голову, по волосам не плачут. И без того неоправданно долго в России поэт был больше, чем поэт, а писатели числились инженерами душ человеческих.

Совокупность норм & ценностей отечественной творческой интеллигенции более не смеет претендовать на звание «культуры как таковой». А утратив властную крышу, субкультура интеллигенции не может рассчитывать на то, что будет массовой.

Массовой будет другое. «Люди Икс». И лобода (именно так, с маленькой буквы). Это не значит, что у нашей творческой интеллигенции нет шансов на реванш. Субкультура хиппи в свое время стала доминирующей в США. Однако мы живем в стране, где элита люмпенизирована... Поэтому ТЭФИ и прочие премии будут вручаться не в соответствии с пресловутым **Гэллапом**, а термин «фестивальное кино» — как и во всем мире — будет антонимом кино популярному.

Рейтинговая ТВ-продукция (речь не только об отечественном ТВ) мне не по нраву. И никому из моих знакомых (среди коих, между прочим, есть руководители и совладельцы телеканалов) тоже не мила. Ну и? Против лома массового спроса нет приема насаждения того, что отвечало бы Критериям.

Бесспорным представляется тезис светил нашего сценического небосклона о необходимости дотаций. Только вопрос (риторический вполне) в том, кто будет определять — кого и в каких объемах спонсировать? Чья это прерогатива — отличать сумбур от музыки?

Потому что судьи — те же. Потому что субкультура — по определению — «трансформированная профессиональным мышлением система ценностей традиционной культуры, получившая своеобразную мировоззренческую окраску».

А на вкус и цвет, как известно, товарищей нет (*De gustibus et coloribus non est disputandum*) — тезис творческой интеллигенции античного периода, переживший музыкальные образцы не самого безвкусного времени.

Можно ли (и нужно ли) было с Ефремова спрашивать, как с «простого смерного» ©? Риторический вопрос.

Напомню о принятии Национальным Учредительным собранием кровавой Французской революции одного из самых лицемерных нормативов современной цивилизации — Декларации прав человека и гражданина (Déclaration des Droits de l'Homme et du Citoyen). Во Франции эта противоестественная вещь признана Конституционным судом юридически обязательной бумагой, нарушение установок коей приравнивается к неконституционности.

Liberté, Égalité, Fraternité?

Какое, на фиг, Равенство?!

Цитирую:

«Закон есть выражение общей воли. Все граждане равны перед ним и поэтому имеют равный доступ ко всем постам, публичным должностям и занятиям сообразно их способностям и без каких-либо иных различий, кроме тех, что обусловлены их добродетелями и способностями».

В том и дело, что способности, равно как и добродетели, у всех весьма и весьма разные. Многие могут играть, как Михаил? Из числа его хулителей, например?

Весь пафос Великой революции разбивается об это противоречие.

Или дальше: *«На содержание вооруженной силы и на расходы по управлению необходимы общие взносы; они должны быть равномерно распределены между всеми гражданами сообразно их возможностям».*

Так равномерно или сообразно возможностям? Ответ знает только ветер перемен, но не наши олигархи + депутаты ГД.

И, наконец, не может быть у людей Свободы, ибо мы суть социальные животные, не птицы ни разу, смеющие парить, где хотят, и при выдающихся аэродинамических показателях даже гадить на головы другим пернатым.

Ну а про Братство я скажу: обращение «брат» принято в среде не самой достойной, хотя один мой товарищ и величает так всех симпатичных ему мужчин. Но это уже пережитки постсоветской моды на блатную эстетику.

Кто из нас пожелает быть равным братом вору, убийце, педофилу?

Короче, девиз этот — вредный. И может быть полезным только как инструмент манипуляции.

Спрос с «ефремовых», людей иного (не говорю высшего) сорта, — всегда отличен. Воевавший на стороне республиканцев в Испании англичанин **Эрик Артур Блэр**, известный под псевдонимом **Джордж Оруэлл**, писал свою горькую притчу «Скотный двор» якобы с Советской России:

«Все животные равны, но некоторые равнее».

Думаю, писал тот портрет в целом с двуногих. Ибо был настоящим коммунистом (не **ельцинской** или **зюгановской** породы), а следовательно, неистребимым романтиком. Который сознавал, что на волне любого протеста поднимаются Свиньи. И равняют все под свой плинтус.

И самое существенное, что никакого равенства не существует и де-юре (о де-факто даже речи нет). Кто-то имеет право на мигалки и на право стрелять в голову первому встречному из табельного оружия. А кто-то — лишь право быть раздавленным выехавшим на встречку джипом.

И все тяжбы вокруг этого — бесполезные игры.

МОТИВАЦИИ

Единственный вид творческой деятельности, доступный любому, — это, конечно же, создание биографии. Каждый день homo sapiens конструирует историю своей жизни, выбирая из тысяч вариантов поступков какой-то один, на который впоследствии нанизываются остальные. Сюжетов жизни может быть бесконечно много, что изумительно отображено в рассказе **Борхеса** «Сад расходящихся тропок».

Конечно же, многие повороты судьбы определяет случай. Оставляют свой неизгладимый след и стечения обстоятельств, и поступки других людей, и вызванные ими аффекты, ведь никто из нас не живет в вакууме. Но все же подлинные авторы мы сами. И только от нас зависит, какую историю расскажут внукам наши дети.

Когда речь идет о прошлом, любопытны не только сами события, но и приписываемые другим мотивации. Ибо все мы моделируем мир по себе. Так, меркантильные люди основным движущим мотивом считают деньги, завистливые — зависть, страстные — любовь, самодуры — принцип нравится/не нравится, тщеславные — жажду пиара. Поэтому по интерпретациям легко судить об интерпретаторе, но никак не об интерпретируемом.

Все мы знаем, что после смерти известных людей волной цунами всплывают воспоминания друзей по детсаду + двору, льются рекой откровения одноклассников & однокурсников, сменяют друг друга показания первых учительниц и первых любовниц. Короче, в поле СМИ засвечивается толпа далеких и порой откровенно бредящих людей.

Но, возвращаясь к теме: имеет ли человек право публично вспоминать свою жизнь?

С одной стороны — вроде бы да, и никто не может помешать ему это сделать.

С другой — все же нет. Ведь описываемые события всегда происходят с участием третьих лиц. Упоминать их в открытую, не меняя имен, чревато юридически, ибо в суде можно оспорить любой эпизод, которому не было свидетелей. Упоминать мертвых и вовсе не этично, ибо они уж точно ничего не могут оспорить.

Таким образом, авторские права на собственную жизнь и все случившееся в ее мерном или бурном течении у человека оказываются смежными: жизнеописатель должен сначала завизировать фактуру у всех участников событий, а уж потом публиковать. Слово хоть и не воробей, но поймать его можно, а вот написанное пером зарубить значительно труднее, чем словить птицу. Проиллюстрирую примером.

После презентации бестселлера «Черные глаза» Маргариты Симоньян, я пригласил автора в эфир и фрагмент этой беседы считаю уместным здесь процитировать.

— Я хочу сказать, что это не журналистская работа в том смысле, что это, мягко говоря, не все правда. И много там «неправды», попытки художественного произведения и просто фантазии, на которую имеет право любой человек, пытающийся стать писателем.

Поэтому я не хочу, чтобы потом были какие-то вопросы у участников событий, что, дескать, было же не так или наоборот — не было. Там даже **Женя Ревенко**, упомянутый в рассказе «Черные глаза», звонил не в час ночи, а в полвторого, например.

Когда я понимаю, что человек может себя узнать или его близкие могут его узнать, и это может человека как-то задеть, или мало ли что, мне кажется, надо имена убирать — это просто гигиена общественных отношений. Я посылала все рассказы людям и говорила: *«Если что-то тебе не нравится, я, во-первых, могу переписать, могу убрать, могу вообще не публиковать».*

— **А кто-то просил? Просил убрать что-то, переписать?**

— Да. И в предыдущей моей книжке прямо главами пришлось убирать.

— **Но исходники остались?**

— Сожжены. Все сожжено.

— **Рукописи не горят ©.**

— Ну, мне кажется, это, повторю, гигиена общественных отношений. Я, например, всегда, если где-то кого-то сфотографирую или попадает кто-то в кадр, спрашиваю перед тем, как выставлять в соцсети. Ну, потому что даже если ничего такого нет особенного, но ты же не можешь знать, — а вдруг человек друзьям сказал, что он в Новосибирске, а он с тобой тут в Москве, в баре. Ничего страшного, никакого криминала. Но ты можешь подставить человека. Зачем? И то же самое с книгами: там, где люди могли быть узнаны, люди были по их просьбе [зачищены]...

ВОЗМОЖНОСТИ РОЖДАЮТ НАМЕРЕНИЯ

По всей видимости, рано или поздно на смену этическим ограничениям придут какие-то другие. Ведь понятие «клевета» касается только чего-то доказуемого, а факт приватного разговора нельзя ни доказать, ни опровергнуть. И испортить чужую биографию лживым свидетельством легче легкого. Но как быть, если сказанное — правда? В связи с этим вспоминается замечательное высказывание **Эльдара Рязанова**:

«Считается, что о мертвых не принято говорить дурно. С моей точки зрения, это сомнительная поговорка. Особенно в нашей стране!».

С этим нельзя не согласиться. Как быть, если события и люди повлияли на характер и отношение к жизни?

Никуда не деться от того простого факта, что у каждой биографии есть сотни свидетелей, и не всем удается прожить достойную жизнь, оттого воспоминания ранят. Порой убивают. Тому свидетельство — мемуары **Надежды Мандельштам**. Уж сколько лет прошло, а битва гигантов все продолжается — правда/неправда, имела право/не имела права, настоящая литература или полный трэш.

Этика решает вопрос однозначно: правда слишком жестока & безрадостна, чтобы ее озвучивать. Кто знает, тот знает, ему не повезло, а остальных надо оградить от тяжелых переживаний. Печально другое — благодаря этике мы получили много серьезных проблем. Например, сталинские репрессии: пока одних забирали, другие тактично молчали, ибо события разворачивались в соседней хате. Пока одни клеветали и доносили, другие не опускались до вмешательства в чужую жизнь и не протестовали.

Так с ведома и согласия культуры одни подонки перебили полстраны, а теперь то, что от нее осталось, бессовестно растаскивают другие. Молчаливое большинство, как велит ему этика, и сейчас брезгливо отворачивается от подлости и гнуси, а ведь еще **Бисмарк** говорил, что «возможности рождают намерения».

Пора догадаться, что мы сами своей этикой предоставляем неограниченные возможности всему неправильному! Нельзя забывать, что культурные стереотипы формируются столетиями, а технологический прогресс всего за сто с лишним лет полностью изменил формат нашего быта, превратив мир в большую деревню. Мы помещены в глобальное информационное поле, и к этому наши поведенческие стандарты явно не готовы.

Разумеется, чтобы никого не оскорблять в лучших чувствах, можно совсем исключить правду из медийной реальности. Любоваться с утра до ночи, как это было в советские годы, балетом, лубочными картинками счастливых будней тружеников страны, парадными биографиями известных людей, слащавыми сериалами и добрым юмором.

Можно рядом с магазинами «Интим» открыть магазины «Правды», где за зашторенными витринами, вдали от детских глаз, будут продаваться печатные издания, содержащие правду, — таблоиды, мемуары, дневники, да и просто жизнеописания великих людей. Ведь нельзя рассказать о человеке, не упомянув о том, каким он был в быту.

Нельзя писать о **Пастернаке**, не рассказав о его любовнице, нельзя говорить о **Чайковском**, не упомянув его sex ориентацию, не получится понять автора «Отца Сергия», не вспомнив незаурядную мужскую потенцию, которая во многом и определила ключевые мотивы творчества **Льва Толстого**. Но все это грязное белье! А копаться в нем, как выясняется, могут лишь морально-нравственные извращенцы, «некультурные» люди. Как тут не привести цитату поэта и мемуариста **Анатолия Наймана**, касающуюся книги Надежды Мандельштам об **Анне Ахматовой**:

«Эта книга — или, я бы сказал так: эти книги, написанные Надеждой Мандельштам, довольно рано открыли шлюз абсолютно безответственного, когда нужно — лживого, по большей части фальшивого и недостоверного разговора. У Ахматовой воспоминания о Мандельштаме начинаются, как мы знаем, таким приемом: с полуфразы, отточия и маленькой буквы: «...и смерть Лозинского оборвала нить моих воспоминаний, я не могу вспоминать то, чего он не может подтвердить». Книги Надежды Мандельштам должны начинаться: «...и смерть Ахматовой развязала мне руки. Я теперь могу объявлять все, что хочу».

И далее у него же:

«Почему я должен принимать за литературу откровения женщины о том, переспала она с Татлиным или нет? Татлин замечательный художник, Татлин вообще ни при чем. Простите, что я так наивно — не наивно про это не скажешь. Зачем ты это пишешь? Достаточно сказать: я тогда решила уйти к другому человеку. Почему ты вдруг вытаскиваешь Татлина, у которого была жена, живы потомки?».

В приведенном отрывке мы видим весь набор этических ограничений, существующих в нашей культурной среде. Написан текст в 2008 году, хотя касается людей, которых давным-давно нет в живых. Только вот интеллигенция до сих пор никак не может договориться, как квалифицировать подобные воспоминания — как высокую литературу или дешевую бульварщину?

Нюанс: **Надежда Мандельштам** тоже давно умерла, а потому говорить о ней дурно, как это делает Найман, — неэтично... Таким образом, круг явно порочен, и изящного выхода из положения просто не существует. Так может быть, этика просто требует от нас регулярного приема галлюциногенов? Возможно, мухомор пора объявить русским национальным грибом и прописывать его населению? Возможно, искомое — яркие цвета, красивые образы, никакой реальности, только разливающееся по телу счастье? Как бы то ни было, мы уже на полпути к этой цели — мир иллюзий поглотил нас почти без остатка. Политиков нам подают к столу политтехнологи, звезд шоу-бизнеса — готовят пиарщики, на экране люди одних моральных качеств изображают людей совсем других достоинств, девочку допубертатного возраста невозможно отличить от тетеньки постклимактерического — тюнинг без труда подчищает недоработки матушки-природы.

Мой экс-коллега по ИДР (Издательский дом Родионова) Александр Бурый этот мой пассаж прокомментировал:

«Если интересно, надо читать, а как уж это называть, дело десятое. С одинаковым интересом читаю и Берберову, и Одоевцеву. Разным языком и с разной подачей, но об одном и том же. Вопрос восприятия лежит в личной культуре каждого читающего... Все происходит поступательно. Если интересна Берберова, дойдет очередь и до Одоевцевой. И наоборот. Внутренняя культура формируется не в одночасье, а путем получения и осмысления информации. А это уж дело такое, непредсказуемое. Можно и Венеру Милосскую отнести к порнографии, а можно и Фабра показывать в Эрмитаже».

Другой мой экс-коллега Александр Перов обозначил нюанс:

«Замечу, что "подобные воспоминания" вполне могут быть и высокой литературой, и дешевой бульварщиной. В литературе должно быть место замыслу и может быть место вымыслу, но не должно быть места умыслу и домыслу. Первые две вещи делают текст книгой, вторые — способны низвести до уровня доноса».

Продюсер Сергей Шачин тоже внес лепту в обсуждение:

«По-моему, российская интеллигенция (точнее, ее жалкие остатки) давно утратила способность вообще о чем-либо договариваться, а также удерживать себя в рамках какой-то определенной этики. Вообще большинство сегодняшних "интеллигентов" изрядно напоминают Васисуалия Лоханкина, который после глубоких размышлений о трагедии русского либерализма доставал из-под шкафа дореволюционный номер "Нивы" и с удовольствием читал заметки некой дамы "Как я увеличила свой бюст на шесть дюймов" и прочие весьма занятные заметки».

Короче, мы и так живем в пространстве глобальной фальши, а этика велит нам продолжать в том же духе!

Но есть ведь и другой выход. Научиться принимать жизнь такой, какая она есть, не судить людей за их несовершенство и пытаться всеми силами сделать окружающую действительность чуточку лучше. Начав, разумеется, с себя. Ведь скоро у каждого в глазу будет вмонтированная камера, посылающая изображение в эфир.

И на смену печатным воспоминаниям придут видеомемуары в стиле no comments. Вот тогда обвинять других будет бессмысленно, и мотивы не будут иметь значения.

Скандальная модель **Катя «Муму» Герасимова** уже доходчиво продемонстрировала публике убойную силу картинки. Ведь страшно не только то, что сделано, но и то, как это выглядит. Поэтому **Шендерович**, исполнивший в ее мемуарах роль **пелевинского** персонажа, оказался в незавидном положении (в «Священной книге оборотня» описаны мужчины, которые под воздействием лисьего гипноза вдохновенно трахаются с виртуальной самкой своей мечты, что выглядит комично, ибо они ползают по кровати в полном одиночестве).

Клево смешить, но не клево быть посмешищем.

«Следи за собой, будь осторожен» (© **Виктор Цой**) — вот каким должен быть девиз человека будущего. Ведь этика в конце концов может одуматься — культура тоже не стоит на месте — и порок защищать станет некому.

Не вредно помнить и о том, что беспрерывно фигурируешь в чьих-то биографиях и на содеянное, возможно, придется взглянуть со стороны.

Каждого фигуранта можно осудить и оправдать, в зависимости от того, что считать большей ценностью: право человека на собственную жизнь, правду, как она есть, или русскую культурную традицию бегства от реальности.

Феномен личности состоит как бы из трех аспектов:

* личность как таковая, то есть совокупность характерологических черт плюс система нравственных понятий, в рамках которых данная личность существует;

* результат общественной деятельности данной личности, будь то подметенная улица или сыгранные роли;

* биография, то есть история жизни данной личности, что есть едва ли не самое интересное; человек рождается с некоторой заданностью будущего, у него родители, которых он не выбирал, определенная социальная среда, в которой он растет, эпоха, в которую он попал; все остальное в его жизни является плодом его собственной интеллектуально-эмоциональной деятельности.

Создание собственной биографии (в которую каждый день ты вносишь какие-то ощущения и события, но ничего не можешь вычеркнуть) и есть в каком-то смысле самый интересный продукт человеческого существования. От того, насколько человеку удается жить в рамках собственной системы координат, насколько эта система является его личным творчеством, насколько ему удается быть цельным и последовательным, зависит эстетика, гармония его жизни.

Если рассматривать биографию как некую историю, которую человек пишет всю свою жизнь. И которую, как произведение, можно будет полностью оценить, лишь учитывая момент и обстоятельства смерти. Ведь в жизни не бывает случайных обстоятельств. Не каждого убивает маньяк на улице и не каждый находит счастливый билет.

Обстоятельства могут притягиваться или отталкиваться самой личностью.

Бывает, что человек не произвел на свет ничего интересного, кроме собственной биографии. К сожалению, такие люди, как правило, не становятся известными другим. В лидеры выбиваются те, у кого есть «талант», то есть исключительные способности в науках, искусстве, спорте. Или умение (что есть отдельный дар) выбиваться в лидеры без перечисленных способностей. Лидер оказывается в центре внимания социума, который начинает интересоваться обстоятельствами его биографии.

Есть такое в английском (вернее, в американском) понятие: быть pushy, что зачастую переводится как «наглеть», «проявлять нахальство». О, нет, отнюдь. Язык действительно постулирует ментальность. «Быть пуши» = добиваться своего, стоять на своем или, процитирую БГ, брать свое там, где ты видишь свое.

На излете своего пути **Уинстон Черчилль** выступил. Выступил во всех смыслах. Его попросили впечатлить речью студентов & поклонников. Адепты знаменитого политика съехались со всего Соединенного Королевства дабы внять мудрости великого человека. А человек взошел на трибуну и сказал:

— *Никогда, никогда, никогда не сдавайтесь.*

Все. Только это. Лаконичный завет. Каким он, собственно, и должен быть. Аудитория была разочарована. Но речь вошла в историю. Как и сам оратор.

Не отступать. Верить в себя. Стать той самой упрямой лягушкой, которая триумфально сбила мускулистыми лапками в масло все молоко кувшина-западни. Если ты красивая и умная рептилия, твоя пупырчатость и перепончатость конечностей твоих суть адекватны параметрам публики, ты победил(а). Ну а коли ты лягушка неформатная, то естественный отбор рыночных (и не только) отношений швырнет тебя со скалы подобно селекционным жрецам тупой и недальновидной Спарты.

Поставить свой портрет на обложку. Прийти на тусовку надменного бомонда и дарить экземпляры рестораторам, министрам, олигархам, префектам и жертвам пластических операций. И да не обманутся те, кто полагает, что сие есть экстраполяция бутусовского «Разденься, выйди на улицу голой!». Как раз наоборот.

Как замечала на страницах **леонтьевского** «Однако» медиаидеолог **Марина Леско**, мы живем в катастрофическую эпоху утраты смыслов. Пора находить неравных в позитиве, а не в негативе. Потому что, как завещал мудрый товарищ **Бисмарк**, возможности, сука, порождают намерения.

РОЛЬ В ПЬЕСЕ «ДТП НА САДОВОМ»

Против Ефремова с самого начала сработала двойственность его позиционирования. Для большинства аудитории Михаил был артистом-пьяницей и веселым гулякой, но многие видели в нем «Гражданина поэта», считали «совестью нации», примерным отцом и заботливым мужем. То есть «хорошим человеком».

Поэтому одни связали его аварию с безответственностью, свойственной богеме, а фанаты хорошего человека Ефремова увидели в ней желание «власти» покарать «инакомыслящего».

Как известно, каждый моделирует мир по себе, когда интерпретирует поступки других. Завистливым людям везде мерещится зависть, любвеобильные «ищут женщину», ну а меркантильные во всем видят материальный интерес.

Ровно поэтому живущие в ментальном пространстве «кровавого режима» искренне полагали, что оппозиционера Ефремова таким замысловатым образом убирают со сцены, а обычные люди, вынужденные ходить на работу каждый день и держать себя в руках, зная, что закон в случае чего не проявит к ним снисхождения, посчитали, что Ефремов обнаглел от безнаказанности.

Обвинять медиа в каком-то особом разжигании интереса к пьяному ДТП со смертельным исходом тоже не имеет смысла, ибо медиа следуют за интересом публики и фиксируют внимание лишь на тех сюжетах, которые вызывают общественный резонанс.

Конечно, резонанс можно связать с тем, что существует Право, определяющее правила существования человека в обществе, и Закон, который один для всех. В нашем понимании он по определению несправедлив — люди ведь разные и обстоятельства у них разные, следовательно, одни и те же проступки нельзя судить одинаково.

Какое бы решение ни было принято, на уровне «естественного права» (© **Иван Ильин**) оно всегда будет оспорено значительной частью аудитории, так уж устроены носители русскоязычного менталитета.

Но дело, похоже, все же не в этом.

Виной всему путаница ролей. Ведь жизнь игра, а люди актеры... Знаменитый Стенфордский тюремный эксперимент подтвердил справедливость этого тезиса — роль определяет поведение человека. Оказавшись в тех или иных обстоятельствах, homo sapiens ведет себя так, как, по его представлениям, следует себя вести в данном конкретном случае.

К тому же психологи давно выяснили, что в человеке (любом) живут разные субличности и все они истинны. Где-то можно предстать ребенком, где-то родителем, где-то отважным, где-то пугливым, но суть этой системы адаптации к обстоятельствам заключается в том, что на каждую конкретную ситуацию человек реагирует активизацией той или иной субличности и, разумеется, процесс этот, как правило, бессознателен.

Ефремову следовало определиться, кто он: асоциальная богема или «хороший человек». И коли не получилось интуитивно выбрать субличность, то надо было хотя бы сыграть свою роль сообразно обстоятельствам.

Но вместо этого зритель попал не на спектакль, а в гримерку, где Михаил декламировал текст то из одной пьесы, то из другой. И играл то одного персонажа, то другого.

Мы видели то гуляку-парня, живущего за гранью этики, то человека, способного на раскаяние, достойного представителя творческой интеллигенции, который осознал меру своей вины и готов ее искупить. Поначалу все шло к тому, что истинный Ефремов — это безбашенный алкоголик, человек бесконечно далекий от чувства вины, живущий на «авось». Потом вдруг Михаил зачитал проникновенный текст, словно осознал масштаб содеянного. Потом — снова превращение. И так до конца процесса.

На вопрос журналиста «Зачем [Ефремов] отказался от признания вины?» его друг Иван Охлобыстин ответил: *«Миша будто загипнотизирован. Он слушает своего адвоката. По-моему, он вообще не понимает всего того, что касается его дела. Миша уверен, что его осудят, с этим согласен и хочет наказания».*

Понимая амбивалентность своей позиции, Ефремов не раз ссылался на доктора **Джекилла** и мистера **Хайда**, которые как бы живут в нем. Скорее всего обилие масок, которые ему в силу профессии приходилось носить, сыграло с ним злую шутку — в отсутствие режиссера-постановщика образ не сложился. А качели создали ощущение тотального лицемерия, которое и предопределило исход. Ведь беда подобного дуализма заключается в том, что и у «совести нации», и у «богемы» могут быть свои смягчающие обстоятельства. «Богему» не так строго судят за безответственность, а совести нации дозволено один раз оступиться. В одном случае смягчающим обстоятельством было бы отсутствие намерения причинить кому-либо ущерб, а в другом — раскаяние и готовность нести ответственность. Иными словами, определись он с ролью, приговор не был бы так суров.

Но Михаил предстал перед широкой аудиторией растерянным, лишенным какого-либо стержня пластилиновым человеком, из которого можно слепить что угодно, ну а коли лепить некому, то пластилин будет лежать на всеобщем обозрении бесформенным куском. В трудный момент, не оказалось рядом с ним толкового автора/режиссера, который отшлифовал бы ему текст, а характеру придал цельность.

Но несмотря на то, что роль «Миши Ефремова» Ефремову не удалась, как мастер эпизода он будет востребован всегда и везде, даже в тюрьме, где ему, как и в обычной жизни, уготована будет роль всеобщего любимца + баловня судьбы.

БИБЛИОГРАФИЯ

Кучкина О. Олег Ефремов: Мне многое делается неинтересным, КОГДА НЕЧЕМ ДЫШАТЬ... // «Комсомольская правда». 1999. 26 октября

Додолев Е. «Сукины деятели» // «Московский комсомолец», 16 декабря 2010

Додолев Е. «Большой и маленькие» // «Медведь», №6 (151), июнь 2011

Додолев Е. «Большой и маленькие» // «Музыкальная правда», 2 сентября 2011

Генина О. «Михаил Ефремов: «Я — отличная антиреклама» // «Интервью», март 2013

Никольская О. «Евгений Додолев о котэ в прямом эфире и пользе неформата» // «Вести», 12 августа 2013

Кругликова С. «Я стараюсь прикрыть Мишину наготу от детей и врагов в буквальном и переносном смысле» // «Коллекция. Караван историй», ноябрь 2014

Чернякова С. «Евгений Додолев: Пользуйтесь глазами и мозгом, а не штампами» // UNIC.report, 18 апреля 2015

Сандалов Ф. «Взял бы кто и написал драму «Ватник и хипстер»: интервью Михаила Ефремова» // «Афиша Daily», 3 ноября 2015

Додолев Е. «Ход конем» // «Новый Взгляд», 17 декабря 2015

Додолев Е. «Маршал Маргарита Симоньян» // «Военный», №4, апрель 2018

Додолев Е. «Тигран Кеосаян: в России кино есть» // «Вечерняя Москва», 16 сентября 2018

Соломонов А. «Я дурак, мне можно» // «Новое время», 10 ноября 2018

Кучер С. «Михаил Ефремов: Мы — восьмидерасты!» // Час Speak (RTVI), 8 октября 2019

Додолев Е. «Михаил Ефремов: Горбачёв спас Россию» // «Вечерняя Москва», 14 октября 2019

Додолев Е. «Политик Виталий Милонов: Корона делает людей чуть-чуть сумасшедшими» // «Вечерняя Москва», 27 августа 2020

Новах Н. «Панин: Если бы на месте Ефремова оказался Безруков, вопроса о тюрьме не было бы» // «Собеседник», 9 июня 2020

Карюков В. «За что Михаил Ефремов жестоко избил ветерана-фронтовика?» // «Свободная пресса», 4 июля 2020

Балуева А. «Лия Ахеджакова: Это омерзительно — сотрудничать с властью по зову сердца» // «Собеседник», 8 июля 2020

Тимук Т. «Михаил Ефремов: Я один такой — талантливый, ужасный, грешный» // «Аргументы недели», 16 июля 2020

Игумнова З. «Ефремов хочет в тюрьму, у него синдром Раскольникова» // «Известия», 12 августа 2020

Додолев Е. «Дмитрий Губерниев: Мне будет 46, и это самый кайф» // «Вечерняя Москва», 20 августа 2020

Додолев Е. «Эльман Пашаев: У меня еще есть моральные ценности, и я из-за этого очень страдаю» // «Вечерняя Москва», 3 сентября 2020

Додолев Е. «Александр Олешко: Современные дети не проживают свое детство», «Вечерняя Москва», 1 октября 2020

Додолев Е. «Актер Игорь Жижикин: Мы задолбали боевиками наших российских зрителей», «Вечерняя Москва», 9 октября 2020

Додолев Е. «Алексей Кортнев: Всегда отдаю долги» // «Вечерняя Москва», 22 октября 2020